SHOPGIRL

Steve Martin

SHOPGIRL

Traducción de Aurora Echevarría

Primera edición: Septiembre, 2004
Título original: «*Shopgirl*»

ISBN: 84-7765-229-5

Depósito legal: B. 41.737-XLVII
Fotocomposición gama, s.l.
Arístides Maillol, 9-11
08028 Barcelona

Impreso en España

Cubierta: Diseño, Gómez & López
Ilustración, Jean-Claude Gotting

Para Allyson

Cuando trabajas en la sección de guantes de Neiman's, estás vendiendo algo que ya nadie compra. Los guantes no son resistentes como los de L. L. Bean, son guantes tan finos que aun con ellos puestos una dama puede coger un alfiler. La sección de guantes, contigua a la de alta costura, está allí realmente de adorno. De modo que Mirabelle pasa gran parte de la jornada apoyada en el mostrador vitrina con una pierna levantada hacia atrás, los brazos extendidos y vueltos hacia fuera, y las palmas de las manos sobre el cristal. En un día especialmente poco movido, puede apoyarse sobre los codos en el mostrador vitrina –aunque esta postura no está nada bien vista por la dirección– y mirar a través del cristal los guantes de cuero y seda expuestos como prístinos peces recién pescados. Las luces del techo se reflejan en la superficie de cristal y se mezclan con el gris y el negro de los guantes, creando un remolino nacarado que a veces sume a Mirabelle en un sueño hipnótico poco profundo.

Todo el mundo guarda silencio en Neiman's, como si se encontraran en un lugar de culto, y Mirabelle siempre trata de amortiguar el tac-tac-taconeo de sus zapatos cuando cruza los resonantes suelos de mármol. Si la vierais, creeríais por su modo de andar que corre peligro de resbalar en cualquier momento. Sin embargo, así es como Mirabelle camina todo el tiempo, aun sobre la segura fricción de una acera de hormigón. Sencillamente nunca ha aprendido del todo a andar o a mantenerse erguida de forma relajada, lo que hace que uno se forme la imagen de una chica poquita cosa que resulta atractiva. Para Mirabelle, lo más interesante de trabajar en unos grandes almacenes es que le brindan la oportunidad de vestirse bien, ya que las normas de Neiman's en materia de indumentaria la animan a ser un modelo de pulcritud y estilo. Su problema, sin embargo, es comprarse la ropa que le gusta, pero de una u otra forma, con ayuda del generoso descuento para los empleados y de su habilidad especial para mezclar y combinar un traje reciclado con un suéter Armani rebajado en un cincuenta por ciento, logra vestir bien sin que eso suponga una carga para su presupuesto.

Cada día a la hora de comer, Mirabelle dobla la esquina de Beverly Hills y entra en el Time Clock Café, que le ofrece un almuerzo corriente a un precio simbólico. Un sándwich, que siempre asciende a tres dólares con setenta y cinco centavos, una ensalada como acompañamiento y un refresco, y logra mantener la cuenta por debajo de su tope ideal de seis dólares, que puede ascender vertiginosamente a casi ocho si opta por postre. A veces, un hombre cuyo nombre oyó una vez por casualidad –Tom, cree que es– le mira detenidamente las piernas, que quedan bien expuestas mientras ella permanece sentada a una mesa de hierro forjado tan baja que le obliga a inclinarlas hacia el pasillo. Mirabelle, que nunca se atribuye el mérito de su atractivo, cree que no es a ella a quien él responde, sino más bien algo independiente de ella, como la bonita línea que forma su fina falda azul al cortar en diagonal el blanco de su muslo.

El resto de la jornada en Neiman's la pasa apoyándose, inclinándose u ordenando, con algún que otro cliente que la arranca del avance a cámara lenta de la tarde, hasta que por fin llegan las seis. Entonces cierra la caja registradora y echa a andar hacia el ascensor, con la parte superior del cuerpo rígida. Desciende hasta la planta baja y pasa por delante de los relucientes mostradores de la sección de perfumes, donde las dependientas se quedan al menos media hora más después de cerrar para atender a los compradores tardíos, y donde, a esas alturas, los distintos aromas que han rociado sobre los clientes durante todo el día se han concentrado en estratos en el aire de los grandes almacenes. Así pues, Mirabelle, que mide metro sesenta y siete, siempre percibe el olor de Chanel Nº 5, mientras que a alguien de metro cincuenta y siete se le obsequia con el más intenso Chanel Nº 19. Ese recorrido diario siempre le recuerda que trabaja en la Siberia de Neiman's, la aislada y cercada sección de guantes, y se pregunta cuándo la desplazarán hasta al menos la sección de perfumes, porque allí, en los activos y poblados mundos de los cosméticos y los perfumes, puede conseguir lo que desea más que ninguna otra cosa: alguien con quien hablar.

Según la época del año, el trayecto en coche de Mirabelle a su casa le ofrece o bien la soleada luz vespertina del verano o la temprana oscuridad y los faros halógenos del invierno en el horario del Pacífico. Recorre Beverly Boulevard, la camaleónica calle con elegantes tiendas de muebles y restaurantes en un extremo, y establecimientos vietnamitas que venden misteriosas raíces empaquetadas en el otro. A lo largo de veinticinco kilómetros, como un juego de Monopoly al revés, esa calle va perdiendo valor inmobiliario hasta terminar en su apartamento en un segundo piso de Silverlake, una comunidad de artistas que siempre está al borde de volverse peligrosa pero nunca acaba de conseguirlo. Algunas tardes, si calcula bien, sube la escalera exterior de su edificio sin ascensor justo a tiempo para contemplar la vista más maravillosa de Los Ángeles: una puesta de sol en el Pacífico concentrándose sobre la extensión de luces que fluyen desde su puerta hasta el mar. Luego entra en su apartamento, que por alguna razón inexplicable no tiene ventanas con vistas, y la desaparición del sol ennegrece por fin todo lo que hay fuera, transformando sus ventanas en espejos.

Mirabelle tiene dos gatos. Uno es normal, el otro, un gatito dado a recluirse que vive debajo de un sofá de donde raramente sale. *Muy* raramente: una vez al año. Eso hace que Mirabelle tenga la impresión de que en el apartamento vive un desconocido misterioso a quien nunca ve pero que deja pruebas de su existencia al mover sutilmente pequeños objetos redondos de habitación en habitación. Esta descripción podría aplicarse perfectamente a los escasos amigos de Mirabelle, que también dejan pruebas de su existencia, en mensajes en el contestador y en reuniones poco frecuentes, y que también se dejan ver poco. Eso se debe a que la consideran un bicho raro, y el hecho de que la excluyan la deja sola muchas noches. Ella sabe que necesita nuevos amigos, pero es difícil hacer amistades cuando tu estado natural es la timidez.

Mirabelle sustituye a los amigos ausentes con libros y películas de suspense de las que suelen pasar por la televisión pública. Los libros son en su mayoría novelas ambientadas en el siglo XIX en las que las mujeres son envenenadas o envenenan. No los lee como los corazones solitarios románticos que pasan páginas en el aislamiento de su habitación, nada más lejos. Ella es un espíritu cultivado con sentido de la ironía. Le encanta la lobreguez de esas novelas de época, sobre todo por lo que tienen de *kitsch*, pero se da cuenta de que, por debajo de todo eso, una parte de ella se identifica con toda esa oscuridad.

Hay algo más: Mirabelle sabe dibujar. Su producción es pequeña en cantidad y tamaño. Sólo termina al año unos pocos dibujos de diez por doce centímetros, y todos están impregnados del espíritu sobrecogedor de los libros de suspense que lee. Aplica generosas y negras capas de cera sobre el papel, cubriendo todo menos la imagen que quiere destacar, que parece emerger a través de la negrura. Su última obra representa un niño en cuclillas petrificado por la lava de Pompeya. Su mano de dibujante es firme, educada en los años que empleó en obtener una licenciatura en Bellas Artes en una universidad de California mientras contraía una deuda de treinta y nueve mil dólares en créditos de estudiante. Esta licenciatura la convierte en una anomalía ambulante entre las chicas de los perfumes y las vendedoras de zapatos de Neiman's, cuyo mayor logro es haber sido guapas en el instituto. Pocas veces, aunque las suficientes como para tener una pequeña colección de su propia obra, Mirabelle saca los carboncillos, baja la lámpara de la cocina acercándola a la superficie dura de la mesa del desayuno y hace un dibujo que, a continuación, es debidamente fijado, fotografiado y guardado en una carpeta de profesional. Esas noches dedicadas a dibujar la dejan exhausta, porque la obligan a concentrar toda su energía, y se va dando tumbos a la cama y se duerme profundamente.

Su rutina una noche corriente es muy simple e incluye ponerse crema por todo el cuerpo mientras charla con el gato visible, con alguna que otra interjección en tono potente al gatito que supuestamente está debajo del sofá. Si alguien la observara en silencio, tomaría a Mirabelle por una chica alegre y despreocupada que se prepara para salir de juerga. Pero en realidad esas actividades son las manifestaciones físicas de su inmovilidad.

Esta noche, al dar por concluido el día, Mirabelle se mete en la cama, da las buenas noches en voz bien alta a los dos gatos y cierra los ojos. Alarga una mano para apagar la lámpara de la mesilla de noche y su mente se llena de fantasmas. Ahora su mente puede deambular por el paisaje que quiera, y ella hace de estas fantasías un ritual nocturno. Se ve a sí misma a orillas de una laguna tropical. Un hombre se le acerca por detrás, la rodea con los brazos, oculta la cara en su cuello y susurra: «No te muevas.» La imagen genera una primera molécula de humedad entre sus piernas, y aprieta una mano plana entre ellas y se duerme.

Por la mañana, el pienso que puso en un bol la noche anterior ha desaparecido, una prueba más de la existencia del gato fantasma. Mirabelle, con ojos de dormida y todavía grogui, se prepara el desayuno y se toma su Serzone. El Serzone es un regalo de Dios que la libera de la depresión inmovilizadora que si no la envolvería y se filtraría en su cuerpo como una niebla venenosa. La droga la distancia de la depresión, aunque nunca la pierde del todo de vista. Es también el tercer antidepresivo que ha probado en el mismo número de años. Los dos primeros funcionaron, y funcionaron bien, por un tiempo, luego bruscamente la abandonaron. Siempre supone una lucha que el nuevo fármaco, que por un tiempo debe combinarse con el antiguo, arraigue en su cerebro y empiece a obrar su química misteriosa.

La depresión que combate no es el recién adquirido síntoma de una chica que ahora vive sola en Los Ángeles. Fue colocada en el arco como una saeta y lanzada por primera vez en Vermont, la ciudad que la vio crecer, y ha viajado con ella desde entonces. Con ayuda del fármaco, suele ser capaz de acorralarla y mantenerla alejada de su vida cotidiana. Sin embargo, hay períodos negros en los que es incapaz de levantarse de la cama. Aprovecha al máximo los días de baja por enfermedad incluidos en las prestaciones laborales de Neiman's.

A pesar de su depresión, a Mirabelle le gusta pensar que es divertida. Cuando la ocasión lo requiere, puede transformarse en una juerguista graciosa y optimista. Este estado de ánimo, cree ella, a veces la convierte en el centro de atracción durante las fiestas y las reuniones. La verdad es que estos episodios de alegría se limitan a hacerla normal, pero para Mirabelle es una sensación tan excepcional que se cree que destaca. El poder en esas fiestas permanece en realidad con las mujeres de espíritu neurótico, que atraen a hombres con necesidad de domarlas. Mirabelle atrae a otro tipo de hombres, más tímidos y reservados. La miran mucho antes de abordarla, y cuando por fin encuentran en ella algo que quieren, es algo sencillo que hay en su interior.

Jeremy

Con veintiséis años, Jeremy tiene dos menos que Mirabelle. Creció en el apático entorno de instituto de Los Ángeles, donde la ambición languidece y los afortunados son impulsados hacia su primer año de universidad por un profesor entusiasta y carismático. Él nunca soñó con ir a la universidad y por lo tanto no conoció el desafío de nuevas caras e ideas –en la actualidad se gana la vida dibujando logos con plantillas en amplificadores–, y su vida después del instituto se deslizó de lado por una superficie de hielo imperceptiblemente inclinada, alejándose del centro. Resulta apropiado que él y Mirabelle se conocieran en una lavandería, el lugar de ligoteo menos *noir* de la tierra. Su primer encuentro empezó con un «hola» y terminó con un vago «hasta luego» mientras Mirabelle se quedaba de pie entre su ropa interior y sus pantalones cortos de deporte mojados.

Jeremy ha salido con Mirabelle aproximadamente dos veces y media. La media cita fue en realidad una noche completa, pero fue tan etérea que a ella le costó contarla como una unidad entera. En la primera, que consistió sobre todo en dar vueltas arrastrando los pies por un centro comercial mientras Jeremy trataba de rozarle el culo con el dorso de la mano, pagaron a medias la cena y luego, cuando ella sugirió que entraran en el cine cuya nueva fachada de neón había dejado a Jeremy casi petrificado, él le hizo comprar su propia entrada. Mirabelle no podía permitirse volver a salir en las mismas condiciones, y no había una forma sencilla de explicárselo. La conversación durante la cena tampoco había fluido; se pareció a la de un matrimonio mayor al que le queda muy pocas cosas que decirse. Después de acompañarla a casa le dio su número de teléfono, en una peculiar inversión del procedimiento a seguir en una cita. Es posible que ella se hubiera planteado besarlo, aun después de esa horrible primera cita, pero él sencillamente no pareció saber qué hacer. Sin embargo, Jeremy tiene una cualidad destacada: ella le gusta. Y esa cualidad le vuelve infinitamente interesante a los ojos de la persona a la que gusta. Al final de su primera cita, mientras ella entraba en su apartamento y cerraba la puerta, hubo una breve pausa durante la cual se cruzaron una rápida mirada de una intensidad inexplicable. Una vez dentro, en lugar de perder para siempre el número de Jeremy en el bolsillo del abrigo, ella lo puso distraída debajo del teléfono.

Seis días después de su primera cita, que había reducido el valor neto de Mirabelle en un veinte por ciento, vuelve a encontrarse a Jeremy en la lavandería. Él la saluda con la mano, le indica con el pulgar levantado que todo va bien y la observa mientras ella introduce la ropa en las máquinas. Parece incapaz de moverse, pero habla lo bastante alto para que su voz se oiga por encima de doce ruidosas lavadoras.

–¿Viste el partido anoche?

Mirabelle se queda atónita cuando más tarde se entera de que él considera aquello su segunda cita. Ese hecho sale a la luz cuando en un encuentro frustrado Jeremy invoca la regla de la «tercera cita», creyendo que ésta debería permitirle tomarse ciertas libertades. Mirabelle no se deja engañar por ninguna regla de la tercera cita, y le explica a

Jeremy que no concibe cómo su encuentro en la lavandería, o cualquier encuentro que consista en levantar el pulgar, puede considerarse una cita.

La tercera cita es también problemática porque después de advertir a Jeremy que no piensa ir a medias con los gastos, él la lleva a una bolera donde se ve obligada a costear el alquiler de los zapatos. Jeremy le explica que los zapatos de la bolera son una prenda de vestir, y que no se puede esperar de él que pague lo que ella lleva en una cita. Si la lógica de Jeremy se aplicara a la astrofísica en lugar de a unos zapatos de alquiler, sería ahora un mandamás en la NASA. Sin embargo, él apoquina y paga la cena y varias partidas, aunque se ayuda de cupones de descuento recortados de los periódicos. Por fin Mirabelle sugiere que si van a salir de nuevo, él debería apuntarse su número, llamarla y proponerle actividades gratis. Sabe, aunque se lo calla, que todas las actividades gratis requieren conversación. Sentarse en una sala de cine oscura no exige ninguna conversación en absoluto, mientras que una cita gratis, como un paseo por Hollywood Boulevard una noche concurrida, requiere comentarios, charla, observaciones y, con suerte, ingenio. Le preocupa que, dado que sólo han intercambiado una docena de palabras como mucho, esas citas gratuitas sean horribles. Aun así, sigue estando dispuesta a salir con él, hasta que se presente algo menos horrible.

La atracción que Jeremy siente por Mirabelle nace del parecido superficial que ésta tiene con alguien de quien él se enamoró en su época preadolescente. Esa persona es la novia de Popeye, Olivia Oyl, a quien miraba extasiado en unos cómics antiguos que le prestó su tío. Y es cierto, Mirabelle se parece un poco a ella, pero sólo si alguien te lo insinúa. Si entraras en una habitación y la vieras por primera vez, no pensarías en Olivia Oyl. Sin embargo, una vez te sugieren la idea, tu respuesta puede ser un largo y lento: «Ah... sí.» Tiene un cuerpo largo y delgado, dos ojillos oscuros y una pequeña boca roja. También se viste como Olivia Oyl, con ropa ajustada –nunca un vestido femenino y recargado–, y se sostiene erguida como ella, con cierto aire desmadejado. Olivia Oyl no tiene nada de pecho mientras que Mirabelle sí tiene, pero su forma de llevarlo, con los hombros echados hacia delante y con ropa que nunca realza sus curvas, logra que no lo parezca. Todo ello de ningún modo le resta atractivo. Mirabelle es atractiva, sólo que nunca es la primera o segunda chica a la que se escoge. Pero para Jeremy, el parecido más extraordinario de Mirabelle con Olivia Oyl es su piel translúcida. Le recuerda la pálida piel del personaje, que en realidad no era sino el papel beis de fondo.

El proceso mental de Jeremy es tan pobre que tiene el afortunado resultado de acabar siempre haciendo exactamente lo que quiere hacer en todo momento. Nunca complica un deseo dándole demasiadas vueltas, a diferencia de Mirabelle, que teje una tela alrededor de una idea hasta que la inmoviliza. La visión que Jeremy tiene del mundo mantiene su tensión arterial baja, eliminando el colesterol de sus relajadas arterias del tamaño de una autopista. Todo el mundo sabe que va a vivir hasta los noventa, aunque la pregunta que uno se hace es: ¿para qué?

A Jeremy y Mirabelle los separa un espacio vacío de cien millones de kilómetros. Él se duerme por las noches feliz en la ignorancia; ella, bajo el sutil efecto de su medicina recetada, viaja en el tiempo a través del territorio de su inconsciente hasta que la vence el sueño. Él sólo conoce lo que tiene delante; ella, en cambio, es consciente de cada sensación que rebota oblicuamente de su delicado y frágil corazón. En esos momentos de sus vidas, con franqueza, lo único que tienen en común es una lavandería.

El viernes de Mirabelle

Está inclinada sobre el mostrador de guantes, y desde su retirado puesto de avanzada mira al otro lado del pasillo hacia la sección de alta costura. Cuando se invierte la perspectiva y una de las dependientas se molesta en mirar hacia ella, Mirabelle parece un perrito levantado sobre sus patas traseras, y los dos puntos marrones de sus ojos en el plato de porcelana de su cara le hacen parecer muy guapa y llamativa. Pero inútilmente, al menos hoy. Porque ese viernes es lo que ella ha denominado el día de los muertos, cuando por alguna razón –normalmente una inminente fiesta de etiqueta en Beverly Hills– la sección de alta costura se llena de mujeres que es muy poco probable que reparen en la esbelta joven que permanece de pie en un extremo de su pasillo sagrado. Son las Esposas de Hombres Importantes.

La metamorfosis más anhelada por las esposas de hombres importantes es hacerse importantes por méritos propios. Esta distinción se obtiene ejerciendo poder sobre cualquiera y se caracteriza por una intensa obsesión por gastar. Si no gastaran tendrían en sus manos de treinta a sesenta horas vacías a la semana, ¿para llenar con qué? Y no sólo está el acto de gastar en sí mismo, sino también la organización y la administración del gasto. Supone contratar y despedir, discernir en qué se necesita gastar, y el requisito psicológico de que el marido se enorgullezca de la forma de gastar de su mujer. Los distintos gastos van de ropa y joyas a muebles y lámparas, vajilla y cubertería, semillas de catálogo y leña. A veces es divertido gastar de manera económica. Por supuesto, con ello no se pretende ahorrar dinero, pero es una práctica de ética.

Con el deseo de gastar viene el de controlar la imagen que les devuelve el espejo. Las narices se moldean en formas nunca vistas en la naturaleza, las melenas se ahuecan con secador y se tiñen de un color merengue con un matiz metálico, y las caras se estiran hasta parecer máscaras funerarias. La variedad de las transformaciones es enorme excepto cuando se trata de pechos. Los pechos sólo se agrandan –y al hacerlo cambian de forma–, y la incongruencia de dos bolas de billar sobre una tabla de planchar nunca parece preocupar a nadie. En Beverly Hills, los hombres jóvenes que buscan a mujeres jóvenes que les recuerden a sus madres adictas al *lifting* están varados y desamparados en un mar de chicas de veinticinco años de aspecto natural.

Hoy, mientras ella mira hipnotizada a esas mujeres tribales, acude a su mente un pensamiento claro: qué distinto es ese lugar de Vermont. Luego, con la ociosidad que impregna cada jornada laboral, apoya el peso del cuerpo en el otro pie. Estira el codo. Dobla los dedos de los pies, flexiona la pierna para rascarse la pantorrilla. Mueve un clip varios centímetros por el cristal del mostrador vitrina. Se pasa la lengua por la parte posterior de los dientes. Oye a alguien acercarse, y su reacción automática es erguirse y dar la impresión de ser un miembro siempre en guardia del personal de ventas del Newman's, porque el ruido de pasos tiene tantas probabilidades de significar *supervisor* como *cliente*. Sin embargo lo que ve es algo insólito en la sección de guantes de la cuarta planta. Se trata de un caballero que busca unos guantes de vestir para señora. Quiere que se los envuelva para regalo, ¿sería posible? Mirabelle asiente con aire profesional, y entonces el hombre, elegantemente vestido con un traje azul oscuro, le pide su opinión sobre cuál es el par más bonito. Siendo ella también elegante en el vestir, tiene realmente una opinión acerca de la mercancía que ofrece, y se explaya sobre la compra de guantes elegantes. Hablan brevemente de para qué y para quién son. El hombre le da varias respuestas vagas y avergonzadas, lo que suele ocurrir cuando los hombres compran algo para una mujer, y ella sugiere que los Dior de satén plateado son los mejores. Él paga los guantes con una tarjeta de crédito, sonríe y se marcha. Mirabelle lo observa alejarse. Baja la vista hasta sus zapatos, algo de lo que ella sabe y entiende, y en su lista interior le da la máxima puntuación en todas las categorías. Se ve reflejada en el espejo del mostrador y se da cuenta de que se ha puesto colorada.

Ese día hay unos cuantos clientes tardíos que sólo quieren curiosear y que interrumpen el tedio periódicamente como las gotas de agua de la tortura china. Son las seis, y ella baja por la escalera en lugar de utilizar el ascensor, que suele estar atascado a la hora de cerrar, y sale a la planta baja. Varios clientes remolonean frente al mostrador de perfumes y otros cuantos en el de cosméticos, sorprendentemente pocos para ser viernes. Mirabelle piensa que las dependientas de esas secciones se exceden en el uso de los productos que venden, sobre todo en barra de labios. Con su inclinación a la generosa aplicación de un borgoña grasiento, recuerdan los labios incorpóreos de Man Ray flotando sobre un paisaje de perfumes en cajas.

Son las seis y cuarto, y fuera está oscuro como boca de lobo mientras regresa en coche a su casa por Beverly Boulevard. Llovizna, lo que hace que el tráfico se mueva como lodo en un abrevadero. Lleva sus gafas para conducir mientras sujeta con las dos manos el volante. Conduce en la misma postura que camina, excesivamente erguida. Las gafas le dan un aire de bibliotecaria, antes de que las librerías consistieran en un CD-ROM, y el Toyota 89 que conduce también refleja el sueldo de una bibliotecaria. La lluvia repiquetea en el techo y por la radio canta Garrison Keillor, creando una sensación cálida e íntima en esa desapacible circunstancia. Toda esa intimidad le provoca un pequeño anhelo y jura que esa noche encontrará a alguien que la abrace. Es una decisión sumamente insólita en ella. La última vez que se comportó de forma ligeramente promiscua fue en la universidad, cuando era lo que tocaba hacer y se sentía en su cumbre bohemia. Decide que cuando llegue a casa, cogerá el teléfono y llamará a Jeremy.

Acostarse con Jeremy

Al llamar a Jeremy, Mirabelle es consciente de que está haciendo un pacto con el diablo. Se está ofreciendo a él confiando en la remota posibilidad de que él la abrace después. Se siente muy práctica con respecto a ello y se compromete a no sentirse mal si las cosas no salen bien. Después de todo, se dice, no tiene una relación con él, ni sentimental ni de otra clase.

Para Mirabelle existen cuatro niveles de abrazo. El primero, y más elevado, es el que te envuelve por completo: él te rodea con los brazos y os besuqueáis mientras él te susurra lo guapa que eres y cómo se siente transportado a otro planeta. Las posibilidades de que se dé esta situación en particular con el joven Jeremy son tan escasas que podrían escabullirse por la puerta sin abrirla. Sin embargo, hay otros niveles de abrazo con los que Mirabelle se contentaría esa noche. Él podría tumbarse de espaldas, y ella apoyaría la cabeza en su pecho mientras él la estrecharía con fuerza. El tercer nivel consistiría en Mirabelle tumbada de espaldas con Jeremy a su lado, con una mano en su barriga mientras con la otra juguetea con su pelo. Esta posición requiere la declaración de palabras de amor para que ella quede completamente satisfecha. Es consciente de que en el tiempo que han estado juntos él apenas le ha dicho una frase que no termine en «ya sabes» y se apague en un murmullo, lo que hace improbable la aparición de tales palabras. Pero eso podría ser una ventaja, ya que ella puede interpretar sus murmullos a su antojo: por lo que a ella se refiere, podrían ser sonetos de amor de métrica impecable. En la cuarta situación, los dos están tendidos de espaldas, y Jeremy tiene una pierna apoyada lánguidamente sobre la de ella. Ése es el mínimo aceptable, y supone una dedicación de tiempo extra por parte de él para compensar su falta de esfuerzo.

Saliendo de su ensoñación, tan explícita que podría haber sido un abogado formulando los términos de un contrato, Mirabelle coge el teléfono y marca. Suena varias veces, y la idea de que él no esté en su casa le produce un escalofrío de alivio, pero justo cuando está a punto de colgar, oye cómo descuelgan el auricular. Sin embargo, en lugar de oír al otro extremo del hilo la voz de Jeremy, se filtra a través del teléfono lo que reconoce como el televisor de Jeremy. Ella sigue esperando que él conteste con un ¿diga?, o un ¿sí?, o lo que sea, pero el televisor continúa. Por fin oye a Jeremy cruzar la habitación, abrir la nevera, regresar a la sala de estar y dejarse caer en el sofá. Oye las risas grabadas de la televisión y, unos momentos después, a Jeremy sonarse estruendosamente. Se queda allí de pie, preguntándose qué hacer. Cree que él seguramente verá que el teléfono está descolgado. Seguro que lo ha oído sonar. Ahora que ya se ha comprometido, teme que si cuelga se encuentre el tono de comunicando el resto de la noche, pues está claro que el teléfono de Jeremy no está en el trayecto del sofá a la nevera, y esa ruta en concreto es la única que él va a tomar esa noche. Aprieta el botón de manos libres y deja el auricular en su soporte. El televisor de Jeremy sigue presente en la casa de Mirabelle, pero al menos ella tiene ahora las manos desocupadas.

En su pequeño apartamento no es posible alejarse mucho del altavoz, de modo que se quita los zapatos, la falda y la blusa, se pone una camiseta grandota y deambula en ropa interior. Termina varias tareas que ha dejado para el fin de semana. En un par de ocasiones grita hacia el teléfono el nombre de Jeremy, pero es inútil. Se sorprende a sí misma en mitad de un grito y piensa en lo que debe de parecer, y jura no volver a hacer nada tan humillante en toda su vida. Luego, con el televisor todavía chillando a través del teléfono, se recuesta en su futón y se echa a reír. La risa hace que se le salten las lágrimas, lo que le provoca una llorera. Luego le entra hipo y le da otro ataque de risa, que le hace caerse de lado sobre el futón, y en un momento dado está riendo y llorando al mismo tiempo. Por fin se serena y, después de descansar unos minutos, se acerca al teléfono para colgar. Está a punto de apretar el botón del sin manos y poner fin a la esperanza cuando oye cómo los pasos de Jeremy al cruzar el suelo de madera aumentan de volumen a medida que se acercan claramente al teléfono. Espera.

–¿Hola? –dice de pronto la voz de él.

Mirabelle coge el auricular y contesta con un hola.

–Soy Jeremy.

–¿Sabes quién soy? –responde ella.

–Sí. Mirabelle.

–¿Acabas de llamarme? –pregunta ella.

–Sí.

En este momento ella comprende que Jeremy no sabe nada de lo que ha ocurrido en los últimos veinte minutos. Él se cree que se ha acercado al teléfono y ha marcado el número de Mirabelle, y ella ha contestado. Mirabelle decide no preguntar qué ha ocurrido, temiendo entrar en un bucle infinito de explicaciones. Resulta que él quiere verla esa noche, de modo que ella lo invita a su casa, y todo encaja.

Jeremy llega treinta minutos tarde y se apoya contra la pared con los hombros tan caídos que parece haberse dejado el esqueleto en casa. Lleva una bolsa de papel con comida rápida de olor nauseabundo, que ella identifica en el acto como patatas fritas porque las manchas de grasa han dejado transparente la bolsa. Pero al menos ha tenido el detalle de traer algo, una ofrenda por lo que está a punto de recibir. Mirabelle se apresura a construir una quinta opción de abrazo, que él se limite a acurrucarse contra ella, de modo que ella no tenga que acceder a hacer nada. Esa opción es rápidamente descartada, porque lo que busca ella es la sensación de bienestar posterior, e inicia su seducción sin palabras, puesta en marcha de forma natural mediante el color rosáceo de su piel, la buena voluntad de sus piernas y su buena disposición, que sabe que todo hombre nota. De haber sido Jeremy un hombre.

En lugar de ello tiene que explicárselo prácticamente letra por letra. Lamenta no tener la película *Cumbres borrascosas* en vídeo para ponerla, señalar y decir: «¿Lo pillas?» El instinto de Jeremy para hacer el amor resulta no estar mal, una vez que Mirabelle ha dejado clara la idea mediante esencias, velas, incienso, música y unos dedos de whisky que ninguno de los dos ha bebido antes. Pero debido a que Jeremy no logra excitar del todo a Mirabelle, el ardor de ésta nunca llega a su punto álgido y no logra, por tanto, excitar del todo a Jeremy, lo que tiene como resultado una fluctuante batalla del condón que es librada como sigue: ella excita a Jeremy hasta que consigue provocar una bonita pequeña erección, pero en cuanto deslizan el condón, con su aislamiento insensibilizador, sufre una pérdida de estatura. Mirabelle no se siente exactamente relajada ni húmeda, lo que hace que el pene de Jeremy se doble y tuerza cuando trata de penetrarla. Entonces tienen que volver a empezar. Ella retira el condón, lo excita besándolo en la boca y estimulándolo con la mano. De vez en cuando el gato salta sobre la cama y golpea los testículos de Jeremy como si fueran bolas colgantes de nébeda, causando un desastroso retraso en la acción. Luego forcejean con el condón y el ciclo vuelve a empezar. Repiten varias veces el proceso, con Mirabelle frotándolo con vigor y a continuación tendiéndose rápidamente de espaldas en la cama y abriendo al instante las piernas, hasta que vuelve a ocurrir lo inevitable. Esa noche en la habitación hay tres entidades: Mirabelle, Jeremy y un pene animado que se dilata y contrae como el balón de oxígeno de un anestesista. Por fin prevalece la juventud de Jeremy, y por unos instantes logra estar en el paraíso. La esperanza de vida de un neumático radial: ése es el pensamiento que le pasa por la mente mientras trata de posponer su impaciente eyaculación.

Consumado por fin el acto, el forcejeo llega a su fin. Yacen los dos en la penumbra, sin tocarse, y todo está silencioso. La distancia entre ambos es terrible. Pero de pronto Jeremy le pasa un brazo alrededor del hombro, deslizándolo por debajo del cuello, y le hunde una mano en el pelo y la atrae con delicadeza hacia él. Acerca el cuerpo al de ella. Mirabelle siente cómo su sudor se mezcla con el de él y eso le gusta. Vuelve a concentrar sus sentidos en la habitación y huele el aroma a vainilla de la vela. Se ve a sí misma en el espejo del dormitorio y se da cuenta de que bajo las caricias de él, aun torpes como han sido, se le han hinchado los pechos, y le gusta el aspecto que tiene. A la tenue luz el cuerpo de Jeremy brilla. Mirabelle se mira a los ojos. Y se siente bien.

Luego ocurre algo terrible. Jeremy deshace el abrazo, se sitúa en ropa interior al pie de la cama y empieza hablar. Más que a hablar, a perorar. Y, aún peor, habla de un modo que requiere que Mirabelle responda con ajás periódicos. De lo que habla es de una variedad de temas que podrían clasificarse vagamente bajo el apartado Jeremy. Habla sobre las esperanzas y los sueños de Jeremy, lo que le gusta y lo que no le gusta, y, por desgracia, un montón sobre amplificadores. Eso incluye el enfoque que da Jeremy a los amplificadores, el análisis de los gastos, y cómo la visión de su jefe sobre los amplificadores difiere de la suya. Ése es el tema que más ajás requiere, y sólo mirándolo fijamente y obligándose a abrir los ojos un poco más de la cuenta, logra Mirabelle parecer un poco interesada. A diferencia de su pene, el torrente de su conversación no se eleva y cae. Mantiene un flujo estable, y Mirabelle empieza a preguntarse si William Jennings Byran sigue mereciendo el título del orador público más grandilocuente de Estados Unidos. Durante treinta minutos enteros Jeremy brama y grita opiniones y observaciones, ninguna de las cuales abandona la esfera de sí mismo. Por fin balbucea, vuelve a la cama y la rodea con un brazo, en una postura aún por catalogar que da a Mirabelle más de lo que quiere. Pese al innoble forcejeo que ha tenido lugar poco antes, tiene la sensación de haber sido deseada, y sabe que él la ha encontrado atractiva, y que ella lo ha dejado satisfecho y le ha infundido vigor, y que el empleo de su energía en ella lo ha sumido en un sueño muy, muy profundo.

El fin de semana

Son las nueve y por segunda vez esa mañana Mirabelle se despierta. La primera vez hace ya dos horas cuando Jeremy se ha ido discretamente, dándole un beso de despedida tan formal que podría haber llevado un esmoquin. Ella no se lo ha tomado mal porque, en fin, no puede permitírselo. También se alegra de que se haya ido porque no le hacía mucha gracia enfrentarse a la violenta tarea de conocer a un hombre con el que ya se ha acostado. Sobre la cama se forma un pequeño ojo de sol que avanza a través de la colcha. Ella se levanta, mezcla su Serzone en un vaso de zumo de naranja y lo bebe como si fuera un rápido vodka con tónica, infundiéndose fuerzas para el fin de semana.

Los fines de semana pueden ser peligrosos para alguien de la fragilidad de Mirabelle. Un pequeño desliz en el programa y puede terminar mirando dieciocho horas la televisión. Por esta razón se ha apuntado como voluntaria a una organización que sale a construir y reparar casas para los desfavorecidos, una especie de operación de limpieza de la comunidad llamada Hábitat para la Humanidad. Eso le ocupa el día. El sábado por la noche suele ofrecerle una espontánea reunión con los demás trabajadores de Hábitat en un bar cercano. Si eso no ocurre, como es el caso de esa noche, Mirabelle no se corta para ir sola a un bar del barrio –lo que hace esa noche–, donde podría encontrarse a alguien conocido, o sostener una copa y escuchar al grupo musical del barrio. Mientras permanece sentada en un taburete y examina los amplificadores en busca del logo de Jeremy, nunca se le ocurre observarse a sí misma, y así se libra de la imagen de una chica sentada sola en un bar un sábado por la noche. Una chica que está deseando entregarse por entero a alguien, que nunca traicionaría a su amante, que jamás ve malicia en nadie y cuya sexualidad duerme dentro de ella, esperando ser despertada. Nunca se compadece de sí misma, excepto cuando la abrumadora química de la depresión la inunda y la deja impotente. Llegó de Vermont esperando empezar una vida nueva y ahora, en la vastedad de Los Ángeles, se siente desamparada. Sigue tratando de hacer contactos, pero la cantidad de intentos fallidos empieza a abrumarla. Lo que necesita es una voz omnisciente que la ilumine y destaque, e informe a todo el mundo de que esa mujer, la de allí, la que está sentada sola en la barra, vale mucho, y luego encuentre a su media naranja y los junte.

Pero esa noche la voz no acude, y ella se levanta discretamente y se marcha del bar.

La voz llegará el martes.

Lunes

Mirabelle se despierta un día espejado de Los Ángeles de aire gélido. La vista desde su apartamento abarca tanto las montañas como el mar, pero ella sólo la ve si se asoma a la puerta. Da de comer a los gatos, se bebe su brebaje y se pone su mejor ropa interior, aunque es poco probable que hoy se la vea alguien, a menos que alguien irrumpa en el cambiador de una tienda. Pasó un domingo agradable porque sus amigas Loki y Del Rey al final la llamaron y la invitaron a apuntarse a un desayuno tardío en uno de los cafés con terraza del Western. Cotillearon y hablaron, sobre los hombres de sus vidas, sobre quién era gay y quién no, sobre quién era cocainómano y quién promiscuo, y Mirabelle las entretuvo con su historia con Jeremy. Loki y Del Rey, cuyos padres les habían puesto esos nombres creyendo que nunca dejarían de ser niñas, contaron historias parecidas y las tres lloraron de risa. Eso animó a Mirabelle, ya que le hizo sentirse normal, como una chica más. Pero cuando volvió a casa esa noche, se preguntó si había traicionado un poco a Jeremy, ya que algo le decía que él no habría contado sus hazañas comiendo con amigos. Ese pensamiento fugaz fue una diminuta base para una diminuta redención de Jeremy, e hizo que parte de ella se sintiera atraída por él, aunque sólo fuera un poco.

El día en Neiman's avanza penosamente, y se hace aún más lento con la promesa de una noche divertida con sus amigas. Es la noche de Art Walk en Los Ángeles, cuando las galerías de la zona se quedan abiertas y ofrecen «vino» gratis en vasos de plástico. Esa noche la mayoría de los artistas del barrio se dejan ver en una galería u otra. El talento de Mirabelle para dibujar le hace sentir cómoda y segura en ese ambiente, y el hecho de haber colocado recientemente varios de sus trabajos en una galería del barrio hace que se sienta en igualdad de condiciones.

Por fin llegan las seis de la tarde. Ese día el recorrido por delante de los mostradores de cosméticos y perfumes tiene para Mirabelle una fascinación especial. Siendo lunes, no hay clientes, y las dependientas están ociosas. Mirabelle se fija en que cuando están en movimiento, esas ninfas del perfume parecen dinámicas y enérgicas, pero cuando se paran, sus caras se vacían y paralizan, como la isla de Pascua de las muñecas Barbie. Retira su furgoneta de la mazmorra del parking, mete la cuarta y conduce a su aire por Beverly Boulevard, y llega a su casa en diecinueve minutos.

A las siete y ocho minutos llega a la Bentley Gallery de Robertson, donde ha quedado con Loki y Del Rey. El local no está muy animado, pero al menos hay suficiente gente para que todos se vean obligados a alzar la voz, dando la sensación de que se trata de todo un acontecimiento. Mirabelle lleva un suéter blanco que pone de relieve su pelo castaño cortado a lo paje. Loki y Del Rey aún no han llegado, y a Mirabelle se le ocurre enfadada que podrían no aparecer. No sería la primera vez que la dejan plantada. Como Mirabelle nunca da muestras de desazón, se da por sentado que está bien en todas las circunstancias, y a Loki y Del Rey no se les pasa por la cabeza que el hecho de no aparecer es en realidad un plantón desconsiderado. Coge un vaso de plástico lleno de vino y hace lo que acostumbra hacer en las inauguraciones, algo tan insólito que la distingue de los demás. Mira los cuadros. Es la forma perfecta de disimular. Sostener el vino dicta la postura, de modo que no tiene qué pensar dónde poner las manos, y los cuadros de la pared le ofrecen algo en lo que concentrarse mientras está de guardia por si ve a Loki y Del Rey.

Veinte minutos más tarde aparecen las dos, recogen a Mirabelle y se dirigen dos manzanas más arriba hasta Fire, una galería vanguardista, o al menos eso es lo que cree ser. Esa inauguración ofrece el ambiente más festivo que todos buscan, y parte de los juerguistas se han desparramado por la calle. Para Loki y Del Rey es una fiesta de calentamiento para su último local, la Reynaldo Gallery. La Reynaldo Gallery, que representa a los artistas más cotizados, se encuentra en el corazón de Beverly Hills, y necesita de las chicas más guapas y de la gente más relevante para llenar sus inauguraciones. Después de beber en la Fire Gallery suficiente alcohol para darse fuerzas –saben que Reynaldo estará imposible–, van en coche hasta Beverly Hills, aparcan, cierran las portezuelas y cruzan Santa Monica Boulevard hasta la galería. Entran a empujones y se escurren entre la gente hasta llegar por fin al meollo del asunto. La fiesta necesita un control de volumen que no hay, y todos se esfuerzan por oírse unos a otros, porque están hablando todos a la vez. Loki y Del Rey deciden hacer frente al tumulto de la barra, y al principio Mirabelle se queda cerca de ellas, pero el caos termina separándolas y se encuentra en el estrecho perímetro vacío de la habitación, entre la gente y los cuadros. Sólo que esta vez presta más atención a quién y qué está pasando en la sala que a los cuadros. En un mar de vestidos negros, ella es la única nota de color, y es la única, incluyendo a los hombres, que va con la cara lavada. Recorre con la mirada la sala y ve varias celebridades vestidas a la última moda nómada/trotamundos, y a varios hombres muy atractivos que han aprendido a dar la seductora impresión de que serían padres consumados.

Le atrae uno en particular que parece no saber

que es guapo, que da la sensación de estar ligeramente perdido y que tiene el aspecto de ganarse la vida pintando, a quien ella apoda el Artista/Héroe. Ve que él nota que lo mira, de modo que desplaza hábilmente la mirada más allá, donde ve justo lo contrario del placentero resplandor que él irradia. Es Lisa. Lisa es una de las dependientas de la sección de cosméticos de Neiman's, y Mirabelle no puede evitar retroceder. ¿Qué está haciendo allí? No pinta nada en una inauguración de arte. Está en el territorio de Mirabelle, donde un título de bachillerato conseguido a duras penas no basta. Pero Lisa sabe defenderse y ésta es la razón. A sus treinta y dos años, puede contarse entre las más guapas. Tiene el pelo pelirrojo claro que le cae en delicados tirabuzones sobre una piel que nunca ha visto el sol. Es delgada y con la cara ovalada, y unas piernas bien torneadas que terminan en un par de provocadores zapatos de tacón. Sus pechos, aunque aumentados, se alzan por encima del escote de su vestido y parecen hacer señas, manteniendo con éxito el secreto de su artificialidad. Se la ve risueña, una cualidad que Mirabelle sólo logra alcanzar en ocasiones especiales.

Lisa lleva tacones hasta para almorzar. De hecho, se viste demasiado elegante para cada ocasión, porque sin la sensación que causa su vestuario cree que no gustará a ningún hombre. Se engaña a sí misma creyendo que en cierto sentido está labrándose un porvenir a base de hacer contactos importantes con hombres triunfadores, y que el sexo es algo tangencial. Los hombres también le hacen el juego. Creen que ella se siente atraída por ellos, y que las pajas que ella les hace no son compradas. Esos hombres le permiten sentirse interesante. Después de todo, ¿no están atentos a cada palabra que dice? Ella cree que sólo teniendo un cuerpo perfecto pueden quererla, y su dieta está concentrada en dos kilos imaginarios que la separan de la perfección. Esa preocupación por el peso no es negociable. Nadie puede convencerla de lo contrario, ni siquiera sus amantes más sinceros. Lo que Lisa entiende por diversión es ir de bares y mofarse de universitarios haciéndoles creer que está disponible. Una buena juerga se mide por el desenfreno que es capaz de provocar; cuanta más gente se apiña en un Mercedes camino de una fiesta en las colinas, más válida es la prueba de que se está divirtiendo. A sus treinta y dos años, Lisa no piensa en los cuarenta, y no está preparada para el momento en que tendrá que saber realmente algo para hacer que la gente la escuche. Su castigo es que los hombres a los que atrae con su apariencia actual sólo la ven con una parte primitiva de su cerebro, la parte infantil a la que le gusta los objetos brillantes que hacen ruido al agitarlos. Los hombres de más edad buscan juguetes con los que jugar, y los chicos inexpertos, impulsados por las hormonas, acceden con más facilidad a esas áreas que los buscadores de esposa de ideas claras de veintitantos o treinta y pocos años.

Existe una tercera categoría de hombres a los que les gusta Lisa. Son los hombres cuya relación con las mujeres es inducida por la obsesión y la posesión, y a lo largo de su vida Lisa será el desagradable blanco de más de uno de esos hombres. Para Mirabelle, la idea de ser un objeto de obsesión es atractiva y representa un amor intenso. No comprende, sin embargo, que los hombres se obsesionan con las mujeres guapas porque no quieren que nadie más las posea, pero se enamoran de mujeres como Mirabelle porque quieren una parte determinada y específica de ellas.

Mirabelle se vuelve, negándose a sentirse intimidada por esa Marilyn pelirroja. Está estudiando la superficie de un cuadro cuando oye una conversación a su lado. Dos hombres están tratando de recordar el nombre del artista que utiliza palabras en sus cuadros. Ella descarta rápidamente al artista neoyorquino Roy Lichtenstein ya que la conversación tiene lugar en la otra costa.

–¿Estáis pensando en Ed Ruscha? –sugiere.

Los dos hombres chasquean los dedos y empiezan a hablar con ella. Al cabo de dos frases, ella se da cuenta de que uno de ellos es el increíblemente perfecto Artista/Héroe de aire perdido que ella ha mirado hace sólo unos minutos. Eso provoca en ella cierta elocuencia, al menos por lo que se refiere al arte en Los Ángeles, tema en el que se mantiene al día a través de visitas a galerías y reseñas, y se presenta ante el Artista/Héroe como imponente, valiosa y lista. De modo que no se encoge cuando Lisa se acerca, y la acepta en el grupo, dándole generosamente el beneficio de la duda. No es realmente consciente de que Lisa ya ha tomado las riendas de la conversación con sus ojos centelleantes y su risa fuerte, y se ha colado por entre los resquicios del cerebro del Artista/Héroe con la subliminal sugerencia de que le gusta, y mucho. Apelando al peor lado de él, Lisa acaba dominándolo, y más tarde ve cómo anota el número de teléfono de ella. A Mirabelle no le afecta que no se le acerque un hombre, ya que, para empezar, su actitud autodesaprobadora nunca le permite plantearse esa posibilidad.

Mirabelle no entiende que las maniobras de Lisa no van dirigidas al Artista/Héroe sino a ella. No ve que ha sido derrotada por una oponente que quiere ver a la chica de los guantes batirse en retirada. En su mente, Lisa ha establecido una vez más la superioridad de la sección de los cosméticos sobre la de los guantes y, por asociación, la de alta costura también.

Mirabelle participa en otras conversaciones interesantes a lo largo de la velada. La naturaleza reflexiva de esos intercambios le hace creer que está haciendo exactamente lo que debe y que no podría hacerlo mejor. Cuando Loki y Del Rey la dejan en la primera galería para que coja su coche, vuelve a casa con la cabeza llena de recapitulaciones de los argumentos más inteligentes de la velada a fin de averiguar con cuál está más de acuerdo.

Se mete en la cama a las doce en punto, después de divertirse dando de comer a los gatos en un bol en el que se lee «perro fiel». Cierra los ojos y apaga la luz. Unos momentos después, mientras yace inmóvil en la cama, siente cómo algo terrible penetra en su mente, se queda allí durante un segundo fugaz y luego desaparece. No sabe qué es, sólo que no le gusta.

Martes

Es mediados de noviembre, y ya se percibe en el ambiente el día de Acción de Gracias, lo que significa que la Navidad no anda lejos. El creciente número de personas que se detiene a curiosear obligan a Mirabelle a privarse de su postura favorita apoyada sobre los codos en el mostrador vitrina, algo que sólo puede hacer cuando no hay ningún cliente a la vista.

Se salta el almuerzo porque tiene hora con el doctor Tracy para que le renueve su Serzone. Éste le hace varias preguntas que ella responde como es debido y le extiende la receta. Se siente aliviada, porque sus existencias parecen estar agotándose peligrosamente, y se alegra de que la receta se solape varias semanas en lugar de cuatro días. Le preocupa que algún imprevisto obligue al médico a ausentarse de pronto de la ciudad, dejándola en apuros. También renueva su receta de la píldora, que toma no tanto como anticonceptivo sino por su regla, que en el pasado ha sido incómodamente poco periódica.

El resto del día en Neiman's es como un purgatorio ya que esa noche no hay un Art Walk que esperar con ilusión; no hay nada. Tiene previsto leer, quizá dibujar, o buscar alguna película antigua en el canal de clásicos. Tal vez podría llamar a Loki. Hacia el final de la jornada le duele la parte inferior de la espalda y le arden las plantas de los pies. Prepara la caja registradora casi media hora antes de cerrar, sabiendo que no va a haber más clientes. Todo lo que tendrá que hacer cuando lleguen las seis es apretar el botón y la caja se cerrará. Unos minutos antes de la hora está satisfactoriamente fuera, camino del coche.

Las calles de Los Ángeles empiezan a llenarse de forma regular con antelación a las vacaciones. Hasta los atajos están abarrotados, y Mirabelle utiliza el tiempo en el coche para planificar los próximos meses. De Navidad a Nochevieja estará en Vermont visitando a sus padres y a su hermano. Ya tiene el billete de avión, que compró hace meses a un precio increíblemente bajo. Sigue sin plan para Acción de Gracias y sabe que tendrá que buscarse algo. Estar solo el día de Acción de Gracias es una especie de sentencia de muerte. El año anterior lo arregló en el último minuto yendo a ver a un tío que estaba de visita en la ciudad, y que la invitó a una pequeña reunión en un restaurante y luego trató de ligar con ella. Fue una velada particularmente desagradable ya que el resto de la compañía también dejaban que desear. Era un grupo de personas estiradas que comían bistecs y fumaban, y a quienes los unía una cualidad poco frecuente ese día: no eran agradecidos. El tío por parte de su madre a quien veía tan poco la acompañó luego a su casa, colocadísimo, y con el pretexto de tocar el bonito lazo de Mirabelle, apoyó el dorso de la mano en su blusa, y luego le preguntó si podía pasar. Ella lo miró a los ojos y dijo:

–Se lo diré a mamá.

El tío se hizo el tonto, la acompañó borracho hasta la puerta, volvió al coche, puso marcha atrás en lugar de acelerar, y huyó.

Mirabelle se encuentra de nuevo en su apartamento, sin recordar nada del trayecto en coche desde Neiman's. Aparca en la plaza reservada para ella en el aparcamiento cubierto. Sube con una bolsa de comestibles, el bolso y una caja de cartón vacía los dos breves tramos de escalera hasta su apartamento insular, que queda suspendido en el aire por encima de la ciudad de Los Ángeles. En lo alto de la escalera, busca torpemente las llaves y, al dejar la bolsa en el suelo para sacarlas del bolso, ve un paquete apoyado contra la puerta. Está envuelto en papel marrón, y ha sido enviado por el servicio de paquetes postales y cerrado con una ancha cinta adhesiva. Es del tamaño de una caja de zapatos.

Mirabelle utiliza el hombro para abrir la puerta, que se ha estado resistiendo un poco por la lluvia de esa semana. Deja el paquete en la mesa de la cocina, echa comida para gato en un bol y comprueba si tiene mensajes en el contestador. No hay ninguno. Se sienta a la mesa de la cocina y con unas tijeras corta el insulso envoltorio exterior del paquete. Dentro hay una caja roja pálida rodeada con un lazo blanco caro. Corta la cinta, abre la caja y ve una hoja de papel de seda. Encima hay una pequeña nota metida en un sobre. Lo sostiene en alto y lo estudia, luego le da la vuelva y lo mira por detrás. No hay ninguna marca reveladora ni ningún nombre comercial.

Abre el papel de seda y dentro encuentra el par de guantes Dior de raso plateado que vendió el viernes. Abre la nota y lee: «Me gustaría cenar contigo.» La parte inferior está firmada: Sr. Ray Porter.

Deja la caja en la mesa de la cocina sobre una confusión de papel de seda. Sale de la habitación caminando hacia atrás y deambula nerviosa por el apartamento, regresando varias veces a las inmediaciones de la caja. No la toca el resto de la noche, y tiene miedo de moverla de sitio porque no la entiende.

Monotonía

La ambición de Mirabelle es aproximadamente la décima parte de un uno por ciento de lo que podría llamarse normal. Lleva casi dos años en Neiman's sin haber avanzado un milímetro. Se considera ante todo una artista, de modo que la elección de empleo le es indiferente. No le importa si vende guantes o pinta apartamentos, ya que su verdadero trabajo lo hace por la noche, con lápices de artista.

Así pues, no tiene ninguna ambición en esos empleos diurnos, y tiende a dejarlo al azar cuando se trata de conseguirlos o cambiarlos. No es consciente de que algunas personas pelean como gatos callejeros por una situación deseable. Ella presenta su currículo, cumplimenta una solicitud, espera y finalmente telefonea para ver si ha conseguido el trabajo. Por lo general, una secretaria confusa contesta y le dice que hace semanas que han cubierto la vacante. Esa falta de propósito a la hora de venderse contribuye a su sensación de ir a la deriva.

Sin embargo, se siente motivada para ir a las galerías y presentar sus dibujos al marchante de turno. Ha llegado a un trato con una galería de Melrose que le acepta un dibujo y, seis meses después, lo vende. Pero eso no produce ingresos suficientes para liberarla de ser una dependienta, y la inspiración que exige un dibujo la deja exhausta. Además, en realidad disfruta de la monotonía de Neiman's. En cierto modo, cuando está de pie ante el mostrador de guantes con los tobillos cruzados, es perfecta, y le gusta la sensación de consecución que obtiene de un trabajo repetitivo.

De modo que cuando coincide con Lisa en el Time Clock Café, se encuentra a sí misma frente a la antítesis de ella. Es como si hubieran vuelto del revés cada uno de sus pensamientos, rasgos y creencias, y los hubieran adornado con una peluca pelirroja. Lisa, distraídamente intrigada por Mirabelle como a un gato le intriga una mota de polvo, la invita a sentarse con ella. Pero la curiosidad de Lisa tiene garras, y sabe que al abordar a la chica de la sección de guantes, debe parecer tan benévola como ella si quiere obtener con naturalidad la máxima información. Si Immanuel Kant se hubiera topado con ese almuerzo al salir de su cita del mediodía con su psiquiatra de Beverly Hills, habría detectado rápidamente que Lisa es todo fenómeno sin noúmeno, mientras que Mirabelle es todo noúmeno sin fenómeno.

Mirabelle tiene el don de hablar de trivialidades, largo y tendido. En este sentido es hermana de sangre de Jeremy. Puede hablar sin parar sobre el almacenamiento de guantes. Cómo sus ideas sobre la venta de guantes son mucho mejores que el actual sistema de Neiman's, y cómo su supervisor se enfadó cuando descubrió que ella los había ordenado por tallas en lugar de colores.

Hoy habla a Lisa sobre las complejidades de trabajar en Neiman's, incluyendo las rarezas de la personalidad de sus numerosos jefes. Eso le lleva bastante tiempo, ya que prácticamente todo el mundo en Neiman's está por encima de ella. Esos comentarios le salen no como críticas sino como comentarios educados, y Lisa se siente confundida porque no es capaz de desentrañar una segunda intención. Tom, el habitual observador de Mirabelle en los almuerzos, las ha visto a los dos y está comiendo su sándwich mientras trata de leerles los labios. También se ha fijado en que las piernas de Mirabelle están ligeramente entreabiertas, creando una línea de visión en forma de cuña diminuta por encima de su falda. Eso lo mantiene sentado a su mesa durante más tiempo del acostumbrado, pidiendo un postre cargado de calorías que no puede permitirse. Sin embargo, el periódico cambio de pierna de Mirabelle crea en él una expectación tan intensa que genera una adrenalina devoradora de calorías que lo compensa. De pronto, Lisa la releva arqueando la espalda de un modo que hace sobresalir sus pechos, y Tom acaba quemando tantas calorías que se queda como al principio.

Mirabelle le habla del misterioso envío de los guantes, abriendo imprudentemente a Lisa su círculo de íntimos formado por una sola persona. Lisa mantiene una expresión divertida, pero por dentro está rabiosa, porque le ha ocurrido a otra persona. Sólo puede pensar en que el camino de ese hombre ha caído justo fuera de su órbita. Luego le da un consejo que es tan ajeno al carácter de Mirabelle que ésta no acaba de entenderlo. El consejo va desde hacerse la loca hasta averiguar la información de su tarjeta de crédito o devolver el paquete sin abrir. El tema la excita tanto que se olvida de guardar con Mirabelle su estudiada pose y deja escapar lo más profundo y oscuro de sí misma:

–Cuando se me acerca un hombre, sé exactamente lo que quiere. Quiere follar conmigo.

Mirabelle nota cómo la espalda se le pone rígida y se le cierran las piernas de forma refleja, impulsando a Tom a pedir la cuenta.

–Y si me gusta, follo con él muchas veces hasta que se vuelve adicto. Luego corto con él. Es entonces cuando lo tengo.

Ésa es la extensión, la profundidad y el límite de la filosofía de vida de Lisa. Mirabelle se detiene a mitad de sorbo y la mira como si contemplara la primera foto que ha llegado de una forma de vida extraterrestre. Logra cambiar el rumbo de la conversación y sigue un cambio de impresiones sobre otros temas, que permite a Lisa aterrizar en la tierra, y finalmente pagan la cuenta a medias.

Lisa ha hecho acopio de toda su inteligencia e intuición, que no son pequeñas, y ha fijado un ojo de cíclope en los culebrones de cuatro manzanas de Beverly Hills, aislando su vida. En cambio, la inteligencia abierta al exterior de Mirabelle está reuniendo información que todavía está fusionándose y podría no cristalizar en varios años. Pero ella siempre ha creído que la treintena iba a ser su mejor década y, puesto que aún no ha entrado en ella, no tiene prisa.

El resto del día, y los dos siguientes, fluctúan al compás de una síncopa aletargada. El tiempo, que transcurre demasiado despacio para ser contado con un metrónomo, se mide en almuerzos, horas de cierre y clientes, sólo interrumpidos de vez en cuando por una repentina oleada de curiosidad acerca del intrigante paquete y su recuerdo del hombre que lo envió. Las mañanas a veces son ajetreadas, hasta cierto punto, e incluso hay un par de ventas entre los que se acercan a curiosear, quienes generalmente recorren la sección de guantes como si miraran una foto antigua por un estereoscopio. La actividad cerebral de Mirabelle, si pudiera describirse mediante un electroencefalograma, cae a un nivel que la mayoría de los científicos interpretaría como sueño. El jueves por la tarde la devuelve a la vida una entusiasta turista japonesa que no puede creer la suerte que ha tenido al encontrar la sección de guantes, y que compra doce pares para enviarlos a Tokio. Eso supone anotar la dirección, calcular el coste del envío, envolver para regalo y poner tarjetas. La mujer quiere que aparezca el nombre de Neiman's en todo, incluso en las tarjetas, y Mirabelle hace llamadas a todas las secciones hasta dar con el modelo antiguo con el nombre en relieve. En el mundo de Mirabelle, eso equivale a correr un kilómetro en tres minutos y se queda exhausta y quejumbrosa, lista para meterse pronto en la cama. Por fin termina con el último detalle de la transacción global, da las gracias a la mujer con la única palabra extranjera que Neiman's exige saber a sus empleados: *arigato*. La mujer coge el recibo, lo mete en su bolsa ya atestada de compras previas, da alegremente las gracias a Mirabelle con una sugerente inclinación y retrocede doce pasos caminando hacia atrás hasta que se vuelve y se dirige al Oeste hacia la sección de alta costura. Es entonces cuando Mirabelle repara en un hombre de pie en un extremo, cuya voz le hace volverse:

–¿Cenarás conmigo entonces? –Y luego, porque Mirabelle no responde, añade–: Soy el señor Ray Porter.

–Oh –dice ella.

–Perdona si fui atrevido –dice él–, pero estoy practicando una nueva filosofía de vida que supone ser más atrevido.

Mientras el señor Ray Porter explica su osadía al enviarle los guantes, Mirabelle lo analiza. Su intuición, aun desentrenada como está, lo abarca de golpe y no suena ninguna alarma. Va vestido de ejecutivo –aunque sin corbata– con un traje azul oscuro. Desde todo punto de vista, tamaño, estatura, peso, es un hombre corriente. De nuevo se fija en sus zapatos y ve que son buenos. Es entonces cuando advierte, por primera vez en la fracción de segundo que ha transcurrido, que debe de tener unos cincuenta años.

Mirabelle se olvida de las complicadas instrucciones de Lisa y se limita a preguntar al señor Ray Porter quién es. Él le dice que vive en Seattle, pero que tiene una casa en Los Ángeles porque hace negocios allí. Ella le pregunta si está casado y él responde que hace cuatro años que se ha divorciado. Ella le pregunta si tiene hijos y él dice que no. No formula la pregunta, pero es su mayor preocupación: «¿Por qué yo?» Mientras tienen lugar esas negociaciones sutiles, queda decidido que se reunirán en un restaurante italiano de Beverly Hills a las ocho del domingo. Ella declina su ofrecimiento de pasar a recogerla y él enseguida acepta. Eso la libera de todas las preocupaciones que puede tener acerca de cenar con un total desconocido: puede volver en coche a casa sola. Él tiene unos modales relajados que la tranquilizan, e intercambian exactamente una frase semigraciosa cada uno. Los dos miran alrededor para ver si alguien los observa, y él parece ser consciente de que las empleadas no deben ser vistas tratando de ligar con los clientes, aunque lo contrario es común. Se aleja caminando hacia atrás y diciendo en un aparte que necesitará un mapa para volver a encontrar la sección de guantes, luego dice algo sobre cuánto se alegra de que vayan a cenar juntos, y por último se ruboriza ligeramente y desaparece al doblar una esquina.

El señor Ray Porter

En torno a Ray Porter no hay nada demasiado misterioso, al menos en el sentido corriente de la palabra. Está soltero, es buena persona, trata de hacer lo que debe y no se entiende a sí mismo, ni a las mujeres, ni las relaciones con las mujeres. Pero hay una verdad acerca de él que puede decirse de todo hombre que invita a cenar a una mujer sin haber cruzado una palabra personal con ella. El señor Ray Porter está al acecho. No conoce a Mirabelle, sólo la ha visto. Ha respondido a algo visceral, pero ese algo visceral está sólo en él, no es recíproco. Aún no. Sólo imagina el carácter que va a unido a la ropa, la piel y el cuerpo de Mirabelle. Ha imaginado el placer que sentiría al acariciarla, así como el placer que sentiría ella al ser acariciada. Es un objeto femenino que despierta su lado más animal.

Haciendo una extrapolación de la muñeca de Mirabelle, él comprende el terreno de su cuello, imagina el valle de sus pechos y sabe que puede perderse en él. No sabe cuáles son sus intenciones con ella, pero no va a tratar de conseguir lo que quiere a cualquier precio. Si creyera que puede hacerle daño, retrocedería. Sin embargo, aún no comprende cuándo ni cómo sale perjudicada la gente. No comprende las sutilezas de los desaires y del sufrimiento, ni que lo que más duele no son los grandes sucesos sino el casi imperceptible cambio de tono al final de una palabra hablada que puede incrustarse en lo más profundo del corazón. En su opinión, nada en el mundo de las relaciones resulta ser cierto por lo general, nada sigue una secuencia lógica, y su búsqueda de cohesión lo deja sin respuestas.

La atracción que siente hacia Mirabelle no es fortuita. No se dedica a enviar guantes por toda la ciudad. Su gesto es una reacción muy espontánea y concreta a algo que hay en ella. Podría haber sido su postura: a veinte metros se la ve lánguida y atractiva. O tal vez fueron los dos puntitos de sus ojos que le hacían parecer inocente y vulnerable. Fuera lo que fuese, empezó a partir de un lugar sumamente pequeño que el señor Ray Porter nunca habría identificado, ni bajo tortura.

Su pequeña casa y mobiliario de Hollywood Hills dicen una sola cosa: el señor Ray Porter tiene dinero. Suficiente para que nunca le suponga un problema, en ningún momento y en ningún lugar. Lo que lo delata es la luz. Los pequeños focos ocultos que se alternan con cálidas lámparas, creando un suave resplandor amarillo que implica «decorador». La casa, que es una segunda residencia utilizada sólo en viajes de negocios, no está abarrotada de objetos personales. Es esa cualidad anónima, como una cara habitación de hotel en la que te alojas en vacaciones, lo que hace que te entren ganas de desnudarte y empezar a follar. En el dormitorio hay una chimenea frente a una antigua cama de cuatro columnas, con libros apilados a cada lado, ninguno de ficción y todos con tres o cuatro puntos de lectura. La casa ofrece la vista de la ciudad que a Mirabelle se le niega tan despreocupadamente.

La pulcritud, que la casa exhibe en cada mesa y superficie del cuarto de baño, no es algo que caracterice a Ray Porter. Sin embargo, es algo que admira y que por lo tanto compra, contratando una mujer de la limpieza obsesiva.

En el garaje hay dos coches. Uno es un Mercedes gris, el otro un Mercedes gris. El segundo Mercedes gris lo utiliza para llevar el equipo deportivo, de modo que no tenga que cargarlo y descargarlo cada vez que le apetezca dar una vuelta en bicicleta. En la parte trasera hay incongruentemente un soporte para bicicleta, y en el maletero unos patines y una raqueta de tenis. Cuando el señor Ray Porter tienta a la suerte haciendo ejercicio en medio del tráfico, lleva una armadura en versión siglo XXI, que ofrece una protección parecida pero carece del aire romántico: un casco de ciclista de plástico, coderas y rodilleras. Se pone ese equipo ya sea invierno o verano, lo que significa que durante tres meses al año lleva grandes rodilleras negras con pantalones cortos. Bajando en su bicicleta con ese equipo por la calle principal de Seattle, la única diferencia visible entre Ray Porter y un insecto es su tamaño.

La cocina es la parte de la casa que menos se utiliza. Como está divorciado, se ha convertido en la típica sala de estar de clase media americana: sólo para exhibir. Suele comer fuera, solo, o trata de llenar la velada con amigos o una cita. Esas cenas con mujeres, que sirven sobre todo para llenar un vacío entre las ocho de la tarde y las once, le causan más tristeza que un año de reclusión en soledad. Porque aunque tienen todo el aspecto de una cita y suenan como una cita, y a veces tienen como resultado un lío, para él no son exactamente citas. Son veladas amistosas que a veces terminan en la cama. Asume equivocadamente que, sea cual sea su comprensión de la naturaleza de una de esas veladas, su pareja piensa lo mismo que él, y se sorprende profundamente y se alarma cuando una u otra de esas mujeres, a quienes ha estado viendo los últimos meses y con quienes se ha acostado varias veces, cree que son realmente una pareja.

Esas experiencias le han llevado a reflexionar mucho sobre qué está haciendo y adónde está yendo. Y el resultado de tanta reflexión es que ahora comprende que no sabe lo que está haciendo o adónde está yendo. Su vida profesional va bien, pero en el terreno sentimental es un adolescente, y ha empezado a educarse en un tema en el que lleva treinta años de retraso.

Su interés por Mirabelle proviene de esa parte de él que sigue creyendo que puede poseerla sin compromisos. Cree que puede existir para ella de ocho a once, y adentrarse en un mundo privado y personal que crearán juntos y que dejará de existir las horas y los días que se tome libre. Cree que ese mundo será independiente de otros mundos que podría crear otra noche, en otro lugar, y se niega a permitir que eso afecte su verdadera búsqueda de pareja. Cree que en esa aventura amorosa, lo que se dé y lo que se reciba quedará totalmente compensado, y que ambos verán los beneficios que estarán recibiendo. Pero como ha escogido a Mirabelle sólo por la vista, no ve que la fragilidad de ella, que intuye y percibe, y por la que se siente atraído, está arraigada en lo más profundo del corazón de Mirabelle y forma parte de su naturaleza, y que no se puede separar para que él folle.

Ray y Mirabelle tienen ideas parecidas sobre el vestir. A él le gusta dar una imagen moderna aunque adaptada a su edad. Tiene montones de trajes de telas llamativas, y su fortuna le permite cometer errores y deshacerse de ellos. En su armario guarda su ropa de Los Ángeles, lo que significa que puede ir y venir de Seattle sin equipaje. La desventaja de este arreglo que es al llegar a su casa, verá una camisa que hace tres meses que no se ha puesto porque no ha estado en la ciudad, y tendrá la sensación de estar cambiando de imagen. Sus amigos de Los Ángeles tienen una visión completamente distinta. Ven que lleva exactamente la misma camisa que la última vez que quedaron con él.

Su aversión a llevar equipaje, que lo impulsó a comprar finalmente una casa en Los Ángeles para poder llenarla de ropa, proviene de una creencia algo obsesiva en la organización de su tiempo. Estar ante una cinta de equipaje, pelearte con pasajeros mientras miras cientos de maletas similares en busca de un número que coincida con el del tu resguardo, que nunca sabes dónde lo has puesto, no concuerda con su lógica. No tiene tiempo para exasperarse, sobre todo si puede resolverlo comprando una casa. Esa necesidad de eficiencia dicta muchos de sus movimientos cotidianos. Al prepararse el desayuno, realizará todas las tareas que tienen lugar en un extremo de la cocina antes de empezar las que se originan en el otro extremo. Nunca cruzará hasta la nevera para sacar el zumo de naranja, volverá sobre sus pasos para coger los cereales del armario y la cruzará de nuevo para coger la leche de la nevera. Esa conducta está arraigada en una lógica subterránea de la que podría dar prueba un robot programado para ser eficiente.

Por suerte, esa conducta no está totalmente fijada en él. Aumenta durante los períodos que está ocupado y disminuye por las noches y en vacaciones. Sin embargo, se transforma en otras formas tan alejadas del impulso original que son irreconocibles. La atracción que siente por Mirabelle es una abstracción de esta conducta: su pulcritud y su simplicidad representan una economía que no poseen otras mujeres.

Ray Porter aparca el coche y entra en la casa con su aire más eficiente. La puerta del garaje se cierra mediante control remoto mientras él sigue sentado en el coche recogiendo sus papeles. Eso le evita tener que detenerse junto a la puerta de la cocina para apretar el mando. Ese pequeño ahorro de energía es para él algo natural. Una vez en su casa, deja los papeles en la cocina, aunque su sitio es el despacho. Los llevará más tarde cuando vaya al despacho a través de la cocina. No tiene sentido hacerlo ahora, ya que necesita ir derecho a la sala de estar para reservar una mesa para el domingo.

Se sienta en el sofá, enciende el televisor y empieza a leer el periódico y a marcar simultáneamente el número del restaurante. Reserva una mesa en un local pequeño pero encantador de Beverly Hills que está en su botón de marcado rápido. La Ronde, un restaurante italiano con nombre francés (el complemento culinario de los *châteaux* franceses con pórticos italianos añadidos de Rodeo Drive), ofrece tranquilidad e intimidad a un hombre de edad que entra con una chica de veintiocho que aparenta veinticuatro. Luego, después de ver la televisión y hojear el periódico hasta morirse de aburrimiento, empieza a hacer lo que mejor se le da. Levanta la cabeza hacia la vista de la ciudad, que para entonces se ha transformado en destellantes puntitos de luz blanca sobre un fondo de terciopelo negro, y empieza a pensar. Lo que pasa por su cabeza son torrentes de cadenas lógicas, códigos informáticos, situaciones hipotéticas, estructuras matemáticas complicadas, palabras e incongruencias. Por lo general, esas cadenas se disolverán en ideas sueltas o en conclusiones incoherentes; a veces se concretarán en algo que puede vender. Esa capacidad de concentración le ha reportado millones de dólares, y el porqué no puede explicarse a la gente normal, excepto diciendo que la fuente de su dinero está profundamente arraigada en una cadena de software tan fundamental que cambiarla supondría reorganizar el mundo entero. No es asquerosamente rico; su contribución sólo es una minúscula línea de un código de los primeros tiempos informáticos cuyos derechos se reservó y que otros han necesitado.

Esta noche, estas excursiones mentales no lo llevan a ninguna parte y acaba llamando a una amiga de Seattle, o lo que cree que es en realidad, una mujer de Seattle con la que tiene amistad y relaciones sexuales, y que está totalmente informada de que nunca van a ser pareja.

–Hola.

–Hola –responde ella–. ¿Qué estás haciendo?

–Mirándome las rodillas. No mucho más.

–¿Estás bien? –pregunta ella.

–Sí.

Él se da cuenta de que está alterada por algo e indaga más. Ella responde contándole sus penas, la mayoría relacionadas con su trabajo, y él escucha con atención, como John Gray en un nido de divorciados. La conversación finalmente pierde impulso.

–Bueno, me alegro de haber hablado contigo. Nos veremos a mi vuelta. Por cierto, creo que debo decirte que el domingo tengo una cita. Pensé que debía decírtelo.

–Está bien, está bien –replica ella–, no tienes que decírmelo todo. No lo hagas, guárdatelo para ti.

–Pero ¿no debería decírtelo? –pregunta él–. ¿No debería?

Ella trata de explicárselo, pero no puede. Él trata de comprenderlo, pero no puede. Sabe que es un terreno donde no se aplica la lógica, y se limita a escuchar y a aprender la lección para la próxima vez.

Esa información, ese anecdótico adiestramiento en la comprensión de las mujeres, obtenido a partir de la experiencia, libros, consejos y sobre todo de los sentimientos heridos que le han arrojado, no encaja en ningún compartimento previo de su experiencia, y él ha creado un nuevo banco de memoria solamente para almacenarlo todo. Este banco de memoria es un caos. No hay coherencia en él. De vez en cuando su mente más racional se aventura a entrar e intenta poner orden, como un chico que limpia su habitación. Pero cuando todo está por fin en su sitio, la metáfora prevalece y al cabo de dos días la habitación es un caos.

Estos encuentros son probablemente las experiencias más formativas de sus cincuenta y poco años. Está recogiendo alegrías y penas, obtenidas de sus relaciones con bailarinas y bibliotecarias, mujeres decentes sin la feromona adecuada y lunáticas. Es como un crío que aprende qué cosas queman cuando las tocas, y confía en que toda esa experiencia se fundirá en una filosofía de vida, o al menos una filosofía de relaciones, que se transformará en instinto. Esta misión de reconocimiento disfrazada de aventura amorosa es necesaria porque de joven no supo observar debidamente a las mujeres. Nunca las clasificó en grupos, ni catalogó sus neurosis para poder identificarlas de nuevo a partir de la más mínima pista. Ahora está haciendo un curso de recuperación de follar, para aprender a lidiar con las diatribas, las inexplicables tretas, insultos y malentendidos que le parecen que son la conclusión inevitable del silogismo del sexo. Pero no es consciente de haber emprendido una misión tan seria: cree que sólo es un soltero que se divierte.

Esa noche llama a un restaurante que hace repartos a domicilio y pide una comida apropiada para un cincuentón. Es más fácil en Los Ángeles que en Seattle, ya que la mayoría de comida para llevar en cualquier parte del país supone grasa y colesterol. Sin embargo, en Los Ángeles es facilísimo pedir una hamburguesa vegetal baja en grasas, o sushi, y que te lo traigan a tu puerta por muy complicada que sea la ruta hasta tu casa. En Los Ángeles puedes vivir en el apartamento más pequeño del callejón sin salida más insignificante con un 1/4 en tu dirección, que al cabo de veinte minutos de hacer tu pedido llamará a tu puerta un extranjero con sabroso ñame frito y un rollo vegetariano. Y si la solitaria cena de Ray en su casa fuera retransmitida por satélite, el mundo se enteraría de que los millonarios también comen de pie en la cocina directamente de una bolsa de papel blanca. Hasta Mirabelle sabe que no debe hacerlo, ya que la comida para llevar es una gran forma de matar el tiempo para la gente que se siente sola y hay que dedicarle el máximo tiempo posible.

Una vez que llega la comida en el coche más pequeño que ha visto nunca, Ray Porter enciende un pequeño televisor en la cocina y empieza a hacer zapping. En ese momento se ha convertido en compañero del alma de Jeremy; sus dos corazones palpitan como el de un solo hombre mientras comen directamente de una bolsa y repasan con rapidez toda la programación, casi sincronizados al hacer crujir el papel o mover el pie. Es casi imposible distinguirlos mientras se entregan a ese ritual, si no fuera porque uno de los dos hombres de pie en la cocina tiene una casa de dos millones de dólares con vistas a la ciudad mientras que el otro está en un apartamento de una habitación sobre un garaje que la ciudad ha perdido de vista. Si el señor Ray Porter hubiera sabido hacia dónde apuntar su telescopio, incluso habría podido mirar ochenta kilómetros más abajo hasta Silverlake y atisbar por la ventana de Jeremy, y si Jeremy no hubiera estado sumido en un estupor impenetrable, incluso habría sido capaz de saludarlo con la mano. Y si se trazaran tres líneas uniendo las casas de Jeremy y de Ray con el tambaleante piso de Mirabelle, el vértice de un triángulo señalaría la improbable conexión entre esos dos hombres radicalmente opuestos.

El señor Ray Porter se acuesta y cierra los ojos. Visualiza a Mirabelle sentada sobre su pecho, con la misma falda de algodón naranja que llevaba el día que la conoció. Se la imagina cubriéndose la cabeza con la falda, dejándole ver las piernas, la barriga y las braguitas de algodón blanco. La lámpara penetra en la falda y proyecta un resplandor naranja sobre todo su cuerpo en su pequeña tienda imaginaria. Un atardecer de carne y tela que le provoca un ataque onanista. Luego se queda silencioso y saciado, con una fantasmal imagen de Mirabelle todavía en la cabeza. Pero enseguida una arbitraria serie de palabras inconexas, signos lógicos y símbolos le recorren la mente, barriéndolo todo. Al cabo de unos minutos tiene la mente vacía y se duerme.

La cita

El primer dilema de Mirabelle es el encargado del aparcamiento. No puede permitirse pagar a alguien tres dólares con cincuenta más propina para que se lleve su coche. Pero está prohibido aparcar y tendrá que dejar el coche a varias manzanas de distancia si no lo hace. Decide que es poco elegante llegar a su primera cita despeinada por el viento, de modo que detiene el coche junto a la cuneta y coge el resguardo que le tiende el encargado, rezando para que el señor Ray Porter se compadezca de alguien que sólo lleva ocho dólares encima. El coche desaparece y ella empuja la puerta del restaurante, pero no se abre, vuelve a empujar y se da cuenta de que está tratando de abrirla por el lado de los goznes, entonces empuja el lado correcto y a continuación tira del pomo, y la puerta por fin cede. Entra en una pequeña cueva oscura, desde luego no el lugar de moda de la ciudad, y ve un jurado de comensales de edad avanzada con blazer de botones dorados y camisas de cuello grande. Hay algo que lo redime, sin embargo. Un actor joven de un programa de televisión de gran audiencia, Trey Byran, está sentado en la esquina con varios hombres con aspecto de productores, y su presencia lo salva de ser un local de carrozas. El *maître*, un italiano en otro tiempo apuesto, se acerca a ella con un «*Buona sera*», y Mirabelle se pregunta qué ha dicho.

–He quedado con el señor Ray Porter –aventura.

–Ah. Me alegro de volver a verla. Por aquí.

La conduce por delante de varias banquetas de cuero rojo y alrededor de una celosía. En un reservado demasiado grande para dos personas está sentado Ray Porter. Está mirando un miniordenador y al principio no la ve, pero levanta la vista casi al instante. La luz incandescente que se filtra a través de las pantallas rojas anima el rostro de todos los presentes y, a los ojos de él, ella tiene mejor aspecto que en Neiman's. Se levanta para saludarla y la conduce hasta el reservado, y le hace sentar a su derecha.

–¿Te acuerdas de cómo me llamo? –pregunta él.

–Sí, y de todos los emocionantes momentos que hemos pasado juntos.

–¿Te apetece beber algo?

–¿Vino tinto? –pregunta ella.

–¿Te gusta el italiano?

–No estoy segura de lo que me gusta; todavía me estoy formando –dice ella.

Ray Porter se siente aliviado al comprobar que puede desearla y avenirse al mismo tiempo con ella. El camarero los atiende y Ray pide dos copas de Barolo de la carta de vinos mientras Mirabelle juguetea con su cuchara.

–¿Por qué has salido conmigo?

Él deja caer su servilleta en una cascada sobre el regazo.

–Creo que es una pregunta grosera.

Mirabelle pone la cantidad justa de coqueteo en la voz.

–De acuerdo –responde Ray Porter.

–¿Por qué me invitaste a salir? –pregunta ella.

La respuesta fundamentalmente sencilla a esa pregunta rara vez se ofrece en una primera cita. Y la verdadera respuesta no se le ocurre a Ray, ni a Mirabelle, ni siquiera al camarero. Por suerte, Ray Porter tiene una respuesta lógica que evita un silencio que habría resultado incómodo para los dos.

–Si es grosero para mí, también lo es para ti.

–Muy bien –dice Mirabelle.

–Muy bien –dice Ray Porter.

Y permanecen sentados, cada uno luchando por encontrar qué decir a continuación. Al final, Mirabelle tiene éxito.

–¿Cómo conseguiste mi dirección? –pregunta.

–Lo siento. Lo hice, eso es todo. Mentí en Neiman's y me dieron tu apellido, y luego llamé a información.

–¿Lo has hecho antes?

–Creo que he hecho de todo antes. Pero no, creo que no había hecho eso antes.

–Gracias por los guantes.

–¿Tienes algo con qué ponértelos?

–Sí, unos pantalones a cuadros y unas zapatillas de deporte.

Él la mira, luego se da cuenta de que bromea.

–¿A qué te dedicas? –pregunta él.

–¿Qué quieres decir?

–Quiero decir aparte de Neiman's.

–Soy artista. Dibujo. Sé dibujar.

–Yo no sé trazar una línea. Una hoja de papel queda inservible después de que yo he garabateado algo en ella. ¿Qué dibujas?

–Por lo general, naturaleza muerta.

En ese momento, Ray Porter imagina bajo la línea de flotación psíquica de Mirabelle un iceberg totalmente distinto del que existe en realidad.

Llega el vino. El camarero lo sirve mientras ellos esperan en silencio. Cuando se retira, vuelven a hablar.

Ella le pregunta sobre él y el señor Ray Porter responde mientras le recorre con la mirada la línea del cuello hasta la camisa almidonada blanca, que se abre y se cierra con cada respiración. Ese centímetro de espacio le permite verle la piel justo por encima de los pechos, enclavados dentro del blanco del sujetador. Quiere meter la mano y dejar en ella una ligera y pálida huella dactilar. Las miradas que le lanza se intercalan con las que ella le lanza a él, de tal modo que esas miradas mutuas se están entrelazando de manera eficaz, sin ser interceptadas nunca por ninguno de los dos.

Llegan al final de la velada y la conversación dura justo hasta que traen la cuenta, en cuyo momento se les acaban los temas. Luego se ocupan de la parte práctica de la velada, la parte en que se intercambian los teléfonos e indican las horas que es mejor para llamar. Ray Porter le da también su número de Seattle, la línea directa, no la de la oficina. Al salir del restaurante, le pone una mano en la parte inferior de la espalda en un gesto de ayuda mientras ella cruza la puerta. Es su primer contacto físico y no pasa inadvertido en el subconsciente de ninguno de los dos.

El coche de Mirabelle es el primero en llegar, y ella lo rodea atropelladamente hasta detenerse junto a la portezuela abierta, donde empieza a hurgar en su bolso en busca de una propina.

–Ya se han ocupado de ello –dice el encargado.

Ella vuelve a su casa en coche, no muy segura de lo que siente, pero llena de lo que probablemente es la primera comida realmente cara de su vida. Cuando entra en su casa, encuentra un mensaje de Ray Porter proponiéndole ir a cenar el próximo jueves. También hay uno de Jeremy pidiéndole que la llame, esa noche. El gen de la responsabilidad impulsa a Mirabelle a telefonearlo, aunque faltan veinticinco minutos para las doce.

–¿Sí? –Jeremy cree que ésa es una forma inteligente de responder el teléfono.

–¿Querías que te llamara? –dice Mirabelle.

–Sí. Gracias. Hola. ¿Qué estás haciendo?

–¿Te refieres a ahora mismo?
–Sí. ¿Quieres venir aquí?
Mirabelle piensa en Lisa. Se pregunta cómo puede haberse vuelto adicto tan pronto. A duras penas lo hicieron y ella difícilmente ha cortado con él. Una torpe noche de sexo fláccido y Jeremy está pidiendo otra galleta pasada de perro. El teléfono de Lisa debe de estar sonando. Debe de tener en su contestador un sinfín de mensajes de coacción de amantes de ojos tristes.
–Ven –repite Jeremy.
Esa petición invierte cada electrón del cuerpo de Mirabelle, haciendo que su atracción magnética hacia Jeremy, que en cierto momento fue débil, se convierta en una fuerte repulsión. Es el peor momento para que Jeremy haga lo que ella hizo con él, esto es, llamarlo para echar un polvo rápido, porque, en cierto sentido, ella ahora está comprometida. Su primera cita con alguien que la ha tratado bien la obliga a ser fiel, al menos hasta explorar la relación. No quiere traicionar esa promesa tácita a Ray Porter. Pero Mirabelle es educada, incluso cuando no debe serlo, y cree que debe a Jeremy al menos una conversación. Después de todo, no es tan *horrible*, así que dice:
–Es demasiado tarde.
–No lo es.
–Lo es para mí. Tengo que madrugar.
–Vamos.
–No puedo.
–Vamos.
–No.

–No es demasiado tarde.
–No.
–¿Quieres que vaya yo allí?
–Es demasiado tarde.
–Puedo estar allí en diez minutos.
–No.
–¿Quieres que quedemos en alguna parte?
–No puedo.
–Podríamos quedar en alguna parte.
–Tengo que dejarte.
–Podría ir allí e irme pronto para dejarte dormir.

Mirabelle convence a Jeremy de que no hay manera de que se acuesten, ni ahora, ni esa noche, ni nunca, si la idea no es de ella, y al final logra que cuelgue. Ese incidente ha mancillado los sucesos de la velada, y tiene que concentrarse para recuperar su excitación anterior.

Trajina por la cocina, recordando cosas sueltas de la cena con Ray Porter, advirtiendo también que ha sido una de las primeras noches en mucho tiempo que no ha gastado nada. Se siente satisfecha de haber hecho un buen papel, de haber entrado en un nuevo mundo y haberse sentido cómoda en él. Le ha dado algo a la persona que la ha invitado a salir. Ha bromeado, se ha mostrado irónica, ha sido guapa para él. Lo ha puesto cachondo. Ha escuchado. Y a cambio él le ha puesto la mano en la parte inferior de la espalda, y le ha pagado el aparcamiento y la cena. Para Mirabelle ese intercambio es justo y bueno, y la próxima vez, si él se lo pide, lo besará.

El ratio de fidelidad de Ray Porter es un poco distinto. Él también lo ha pasado bien, en el sentido de que la velada ha estado cargada de invisibles iones de atracción, pero eso no significa una entrega por su parte. Lo que significa es que quedarán varias o muchas veces, y que hasta que lo contrario no sea señalado o prometido, son independientes el uno del otro. Pero ése es un pensamiento tan rutinario para Ray Porter que no se ha molestado siquiera en albergarlo. La ha llamado desde el teléfono del coche para invitarla el jueves no sólo porque le ha gustado, sino también porque en su cabeza hay un enigma. Después de reflexionar sobre ello, no sabe decir si la superficie que ha vislumbrado debajo de la blusa de Mirabelle era su piel o una prenda interior de nailon de color carne. Mientras sopesa las pruebas, decide que tiene que ser una prenda interior de nailon, ya que lo que ha visto era demasiado homogéneo, demasiado perfecto, de un color demasiado uniforme para ser piel. Por otra parte, si era su piel, entonces ella posee la droga de la que él es particularmente adicto, un baño de leche embriagador en el que sumergirse, chapotear y ahogarse. Sabe que ese enigma probablemente no se resolverá el jueves, pero sin él no habrá sábado, que es el siguiente paso lógico para alcanzar la solución.

Se acuesta y, en lugar de dejar que torrentes de datos entren a raudales en su mente, deja que los símbolos del sexo formen su propia lógica estricta. La blusa blanca implica la piel que implica el sujetador que implica los pechos que implica el cuello y el pelo. Eso conduce a la barriga, que necesariamente invoca el abdomen que lleva a la parte interior del muslo que lleva a las braguitas que lleva a una línea húmeda en algodón blanco que puede apretar para ganar un milímetro de acceso a la vagina. Ese acceso le conduce a un acceso mayor, e implica sabor, aroma y una unificación de su persona que sólo es posible mediante la posesión de su antítesis. Esa secuencia lógica es trazada en función de una serie de días intermitentes que se prolongan varios meses. La fórmula entera depende de si el centímetro cuadrado en cuestión es piel o nailon, y si es nailon, ¿cuál es la verdadera textura del centímetro cuadrado que esconde?

Guantes

Mirabelle pasa con aire seguro por delante de los cadáveres activos de la planta baja y se encamina a su santuario en la cuarta planta. Sube los escalones de dos en dos, y, cosa rara en ella, tiene ganas de trabajar. Hasta está pensando en maneras de vender más guantes exhibiendo unos cuantos en las mesas rinconeras y en las vitrinas repartidas por los grandes almacenes. Luego llega a su sección, ocupa su puesto, cruza las piernas a la altura de los tobillos y se queda allí de pie. Y se queda allí de pie. No pasa en todo el día nadie de la dirección a quien pueda exponer su idea. Hay más cosas que observar, sin embargo, ya que la ausencia de prisas previa al día de Acción de Gracias significa que pasa más gente por delante de su mostrador en dirección a otra sección. Llega la hora del almuerzo, y tiene la clara sensación de que no se ha movido durante tres horas y media.

Decide tomarse dos horas para comer. Eso lo consigue mintiendo. Explica a su jefe inmediato, el señor Agasa, que tiene hora con el médico por un problema femenino y que ha tratado de cambiarla pero era la única hora que podía darle. El señor Agasa tartamudea mientras ella añade que hay poco movimiento, y que ha pedido a Lisa que eche un vistazo a su mostrador, y él asiente preocupado.

–¿Se encuentra bien? –pregunta.

–Creo que sí, pero deben examinarme.

Y sale de los grandes almacenes. Al llegar a los pisos de Beverly Hills, entra en una tienda de yogures y, partiendo de la premisa de que puede tomar un almuerzo completo por tres dólares, sale con su taza desbordante y se sienta al sol en Bedford Drive. Al sol deslumbrador su pelo brilla de un granate intenso. Mueve su silla metálica hacia los edificios de baja altura que albergan a todos los psiquiatras de Beverly Hills, esperando ver a un par de celebridades. Ése es el edificio donde va ella para que le renueven su receta médica, de modo que reconoce a varias de las enfermeras y recepcionistas que entran y salen. A su lado se sienta una mujer tan repulsiva que Mirabelle tiene que volver incómodamente el cuerpo para sacarla de su visión periférica. La mujer habla por un móvil mientras se zampa contradictorias cantidades de yogur bajo en calorías. Sus carnes se desbordan de la silla, de la que sólo se ven las patas. Lleva el pelo teñido con productos químicos diseñados para hacerlo parecer dorado, y su cara de fumadora tiene un sutil tono grisáceo. Sin embargo, lo que dice por el teléfono es de hecho bastante delicado. Está preocupada por alguien que está enfermo, lo que hace que Mirabelle se avergüence un poco de la mentira que le ha dicho al señor Agasa. La mujer habla, se calla y, después de lo que debe de haber sido una larga perorata de la persona al otro extremo del hilo, dice:

–... sólo recuerda, cariño, que es el dolor lo que cambia nuestras vidas.

Mirabelle no logra comprender el significado de esa frase, ya que ha sufrido toda la vida y sin embargo ésta no ha cambiado.

En ese preciso momento entra en el edificio de los psiquiatras el ídolo Trey Bryan. Es sexy como el demonio, lo que le da derecho a recibir un tratamiento psicoanalítico inmediato. Ella lo ha visto una vez en Neiman's comprando lo que parecían ser adornos de encaje para los hombros de su novia. Ha visto al ídolo comprar muchas veces y sabe que se trata de un ritual muy refinado. Requiere una novia que, si no es famosa aún, se sienta cómoda con el hecho de hacerse famosa. Ésta tiene que parecer aburrida, y allí está el propósito de las compras: el ídolo debe danzar alrededor poniendo regalos a sus pies, tratando de levantarle el ánimo.

Mirabelle no ha conseguido comprender nunca por qué la receptora de tales regalos está tan aburrida. A ella le encanta recibir regalos.

Una parte importante del ritual de comprar regalos de la pareja de celebridades es que los dos compradores parecen selectos; su mundo es tan extraordinario, está tan colmado, que sus movimientos a través del mundo ordinario y no selecto esparcen pequeñas gotas de diamantes. Mirabelle en una ocasión atendió a esa pareja, cuando estaba en la sección de Comme des Garçons, y fue consciente de lo transparente que era ella. Era como un contorno de tiza, animado por una fuerza vital interior.

Sin embargo hoy, con una hora y quince minutos de más por delante y el sol cayendo a plomo sobre ella a pesar de ser noviembre, decide hacer una visita a la competencia y echar un vistazo a las secciones de guantes de otros grandes almacenes. Al menos podrá identificarse con otras chicas perdidas y tristes que permanecen de pie en la soledad de sus mostradores. Su primera parada es Saks Fifth Avenue en Wilshire Boulevard, donde ve una imagen de sí misma a una solitaria distancia, planeando con aire ausente sobre mercancía que nadie quiere comprar. Le dice cómo se llama y se identifica por la descripción de su empleo, y la dependienta se emociona tanto de que alguien le hable que Mirabelle se plantea ofrecerle un Serzone para estabilizarla.

La siguiente parada es Theodore en Rodeo Drive. Son unos grandes almacenes modernos y sexies, y tienen unos guantes tan juveniles y originales que Mirabelle anhela venderlos. Se imagina a las personas más modernas acudiendo a ella, intercambiando consejos mientras se prueban la mercancía. Aceptar consejos de sus clientes actuales equivaldría a un suicidio en moda, a menos que quisiera que la tomaran por una cincuentona.

Mientras deambula por Beverly Hills se encuentra a sí misma a una manzana de La Ronde. Eso no le provoca ninguna reacción emocional en particular, no es «el lugar de su primera cita», pero le hace sentirse menos intrusa en Beverly Hills. Ha cenado realmente en uno de los restaurantes, algo que el noventa por ciento de la gente de fuera de la ciudad que merodea esa tarde por ahí no ha hecho. Entra en Pay-Less y compra compresas, porque las necesita, y para respaldar la mentira que ha dicho al señor Agasa si ve lo que ha comprado.

Vuelve a Neiman's, donde Lisa le dice que alguien la ha estado buscando.

–¿Quién? –pregunta Mirabelle.

–No lo sé, un hombre.

Mirabelle supone que es Ray Porter. Tal vez para cancelar la cita. En el primer descanso se llamará a su contestador automático.

–¿Cómo era? –pregunta a Lisa.

–Un hombre, de unos cincuenta años. Normal.

–¿Qué más?

–Un poco grueso. Y ha preguntado por Mirabelle Buttersfield. Por el apellido.

Ray Porter no es grueso y no preguntaría por Mirabelle por el apellido, que ni siquiera está segura de que sepa.

–Ha dicho que volverá –añade Lisa, desapareciendo hacia la escalera.

Mirabelle se desliza detrás del mostrador. Se queda un minuto allí parada y de pronto le inunda una abrumadora oleada de tristeza. Eso le lleva a hacer algo que nunca ha hecho en Neiman's: abre el último cajón del mostrador y se sienta en él unos minutos, hasta que se recupera.

Lisa

El cuerpo de Lisa Cramer es lo bastante bueno para cualquier hombre o mujer de este planeta, pero no para ella. Cree que tiene que ser de una exquisitez impecable para un hombre, así como experta en felación. Ese talento es afinado y perfeccionado a través de extensas conversaciones con otras mujeres así como la visión de una selección de cintas porno «educativas». Una vez hasta asistió a una clase que impartía Crystal Headly, una actriz de películas porno que estaba de capa caída. Tampoco es reacia a hacer gala de esta experiencia. Al cabo de varias citas, y a veces antes, Lisa dará prueba de esta habilidad al tipo afortunado, lo que le hace sentir como la clase de mujer que un hombre querría. Sin embargo, los hombres se quedan confusos ante su buena suerte. ¿Quién es esa mujer que con tanta facilidad les hace una mamada? Lisa sólo puede medir su éxito por la frecuencia de las llamadas de seguimiento que recibe de los hombres, que están impacientes por invitarla a cenar o a una obra de teatro. El hecho de que estén dispuestos a llevarla a una obra de teatro –casi lo último en la lista de planes para una cita en Los Ángeles– demuestra lo lejos que están dispuestos a ir. Lisa sabe que lo que quieren es sexo, pero es que el sexo es la fuente de su valor. Cuanto más lo quieren ellos, más vale ella y, por consiguiente, se ha convertido a sí misma en un objeto follable.

A Lisa no le interesa el sexo porque es divertido. Es el fulcro y la palanca para atraer y rechazar a los hombres. Acuden a ella movidos por una gran esperanza, un aroma que desprende, tan delicioso como el pan recién hecho. Pero cuando ella ha acabado con ellos, se sienten exhaustos y sin fuerzas, y están listos para irse a su propia cama. Ella ha absorbido literalmente todo el interés de ellos y quiere que se retiren antes de que descubran en ella algún defecto que los repela. Así pues, Lisa, con todo su poder, nunca se siente lo bastante buena para nada que esté más allá de su habilidad para despertar deseo en los hombres. De hecho, cuando tenía poco más de veinte años florecieron varias obsesiones prohibitivas que impiden que amplíe el círculo de su experiencia. Es incapaz de coger un avión. El miedo a volar se apodera de tal modo de ella que ha descartado para siempre como una posibilidad viajar en avión. Tampoco puede ingerir ninguna clase de medicamento. Ni aspirina, ni antibiótico, ni siquiera un Tums, por miedo a perder el juicio. Y es absolutamente incapaz de estar sola sin angustiarse por si se muere de pronto.

Lisa ha tomado el gusto al señor Ray Porter, a pesar de que nunca le ha conocido. Hay sencillamente un problema y es que él ha elegido a Mirabelle y no a ella como su arbitrario objeto de deseo, pero Lisa está segura de que en cuanto la vea, cambiará de parecer. No puede imaginar a Mirabelle siendo una experta compañera de sexo. Por supuesto, la falta de entrenamiento avanzado de Mirabelle podría ser exactamente la razón por la que Ray Porter la desea, pero Lisa no puede entender ese razonamiento, porque ignora que su soberanía podría ser usurpada por un centímetro cuadrado de piel de Mirabelle, vislumbrado bajo una blusa almidonada.

El día que Lisa oyó a Mirabelle cotorrear su historia en Time Clock, un recuerdo rudimentario vibró en su cabeza a la mención de Ray Porter. Esa noche Lisa fue a su casa, concentrada, y recordó que ese nombre había estado en el aire hacía unos años porque había ligado y tenido un lío con una dependienta de la zapatería de Barneys, los grandes almacenes de moda de dos puertas más abajo. Cuando seis meses después de que terminara el lío entró con otra mujer, la dependienta se puso como un basilisco y le arrojó dos pares de zapatos de Stephane Kelian, uno de los cuales cayó en una pecera abierta, y la despidieron en el acto. Barneys tiene una política de «no preguntes, no cuentes» en lo que se refiere a clientes y empleados, y arrojar zapatos viola claramente el «no cuentes». Lisa también recuerda que Ray Porter es poderoso.

Lisa no ve poco ético el hecho de interponerse entre Mirabelle y Ray Porter. A su parecer, Mirabelle no merece estar con nadie, y Lisa le estará haciendo a él un favor. ¿Qué haría Ray Porter con una triste Mirabelle desnuda en su cama con las piernas abiertas? ¿Qué haría cualquier hombre con una chica sosa que no es capaz de hacerse valer, que tiene la voz débil, que viste como una universitaria y cuya personalidad tiene como rasgo principal la impotencia?

La segunda cita

Antes de la cita del jueves, entre Ray y Mirabelle hay varias conversaciones telefónicas formales que establecen que él pasará a recogerla, que la hora será las ocho de la tarde, y que irán a un divertido local caribeño del barrio que conoce Mirabelle llamado Cha Cha Cha. A ella le preocupa que él vea su apartamento, el cual, por quinientos dólares al mes, sólo cuesta un poco más que su cena en La Ronde. También le preocupa que tenga dificultades en encontrarlo. El apartamento está en la conjunción de un laberinto de calles en Silverlake y, una vez lo localizas, todavía necesitas indicaciones para dar con la puerta. Recorre el camino de acceso, sube la segunda escalera, gira por el rellano...

Cuando llega el jueves, Mirabelle limpia a toda velocidad el apartamento mientras simultáneamente se espolvorea polvos y se pone varios vestidos por la cabeza. Opta por una falda a cuadros de color rosa y amarillo, y un suéter rosa cariñoso al tacto que tristemente impide a Ray entrever nada. Este conjunto, en combinación con su pelo cortado a lo paje, le hace aparentar unos diecinueve años. No está pensado para despertar lascivia en Ray, sino que lo lleva como un conjunto a la moda que encajará a la perfección en Cha Cha Cha.

Cuando por fin está preparada, se sienta en la sala de estar y espera. No tiene un sofá de verdad, sólo un futón bajo encajado en un armazón de madera, lo que significa que todo el que trata de sentarse en él se ve inmediatamente doblado en dos al nivel del suelo. Si una visita permite que le caiga un brazo a un lado, éste aterrizará en el tosco suelo de madera dura. Si se sienta con una copa, tendrá que ponerla en el suelo al nivel del gato. Se propone no pedir a Ray que se siente.

Suena el teléfono. Es Ray, que la llama desde el coche para decirle que está un poco perdido. Ella le da las indicaciones pertinentes a izquierda y derecha, y al cabo de cinco minutos él llama a la puerta. Ella abre y los dos se apresuran a entrar para evitar la cruda luz de la desnuda bombilla de cien vatios del porche.

Si a Mirabelle le preocupaba que Ray viera su apartamento, su preocupación no tenía razón de ser. El ambiente universitario hace que se desprenda en él un mohoso recuerdo erótico, y siente cómo unas vagas oleadas de placer lo recorren por debajo de la piel. Mirabelle le pregunta si quiere tomar algo, sabiendo que no tiene nada que ofrecer aparte de jugo de almeja enlatado. Él declina la oferta, pero quiere fisgonear por el apartamento, y mete la nariz en la cocina, donde ve el escurreplatos de universitaria y los vasos desiguales de universitaria y la caja del gato de universitaria. El problema, por supuesto, es que Mirabelle acabó la universidad hace cuatro años y no ha sido capaz de ganar unos ingresos acordes con el siguiente nivel.

Ella le pregunta si quiere sentarse, de lo que se arrepiente en el acto, y Ray se agacha hasta sentarse en el futón, doblándose en una posición que para alguien de más de cincuenta años se consideraría de yoga avanzado. Después del mínimo de conversación requerido para hacer que la invitación a sentarse en el futón no sea ridícula, ella sugiere que se marchen. Mientras Ray se ayuda a sí mismo a levantarse, el cuerpo le cruje audiblemente.

Salen del apartamento y se encaminan hacia el Mercedes, con toda la espontaneidad de una cita para un baile universitario. Mientras conduce, él señala rígidamente las características del coche, entre ellas los calentadores de asientos eléctricos, lo que provoca unas cuantas bromas por parte de ambos. Una vez en el restaurante, se mueven nerviosos, hablan y se retuercen hasta la mitad del primer plato, que es una especie de pescado con chile preparado para hacer saltar los sesos de los comensales. Ambos están acartonados, y habrían seguido estándolo durante esa complicada segunda cita de no haber sido por un elixir llamado Burdeos.

El vino relaja un poco las cosas, y esa ligera fluidez hace que Ray sea lo bastante osado para tocarle la muñeca. Comenta que le gusta su reloj. No es gran cosa, pero es un comienzo. Mirabelle sabe que su reloj es de un vulgar que no puede suscitar ninguna opinión y, aunque sus ojos se han convertido en lagos poco profundos de alcohol, sospecha que ese contacto no se debe al reloj sino al deseo de Ray de tocarla. Y tiene razón. Porque mientras Ray le desliza el dedo por el dorso de la mano, mide el grado de humedad tropical que la piel emite a la yema de su dedo, e impulsos de placer saltan de neurona en neurona, y se transmiten a su receptivo cerebro.

Le rodea la muñeca con el dedo y el pulgar.

–Ahora yo soy tu reloj –dice de forma infantil.

Mirabelle y Ray, que no están borrachos pero sí chispeados, están tratando de encontrar una forma de salir del caos conversacional en el que se han metido. Ray quiere conducir con la mano en el muslo de ella, pero está atascado en Cha Cha Cha hablando de trivialidades. Mirabelle quiere que paseen por Silverlake Boulevard cogidos de la mano, conociéndose, pero necesita decir una última frase sobre el reloj o languidecerán para siempre en una circularidad sin fin. Entonces Ray tiene una idea genial. Pide otra copa de vino y sugiere que los dos beban de la misma copa. Mirabelle no es una gran bebedora, de modo que Ray se traga casi dos tercios de ésta, y delante de ella saca un bolígrafo y calcula el peso de su cuerpo frente a la cantidad de alcohol bebida menos la comida ingerida, y anuncia que está en condiciones para conducir. Lo que los lleva al coche.

Lo que los lleva al porche.

Donde él se despide con un beso y se aprieta contra ella, y ella nota cómo se pone duro contra sus piernas. Y a ninguno de los dos les molesta la cruda luz del porche. Y él le da las buenas noches. Y mientras se aleja, piensa que no puede imaginar nada mejor que su próxima cita.

La siguiente cita

Mirabelle termina en casa de Ray, donde, totalmente vestidos, se tumban en la cama y ella se sienta encima de él, y él le desabrocha tres botones de la blusa y localiza la zona por encima de los pechos y confirma que lo que vio en La Ronde era su piel y no una prenda interior de color carne. Eso es todo lo que hacen, y luego la acompaña en coche a casa.

La conversación

La conversación consiste en una parte implicada exponiendo a la otra parte implicada los límites de su interés. Pretende ser una advertencia para la segunda parte de que sólo pueden aproximarse hasta cierto punto.

De nuevo, el señor Ray lleva a Mirabelle a La Ronde. Se sientan en el mismo reservado y piden el mismo vino, y todo se hace igual para reproducir su primera cena, porque Ray quiere continuar *exactamente* donde lo dejaron, sin ni siquiera un cambio de diseño en el mango de un cuchillo que rompa la secuencia. Esa velada Mirabelle no está chispeante, porque funciona a base de marchas, y esa noche ha metido la marcha equivocada. La tercera marcha es su personalidad ingeniosa, perspicaz, instruida; la segunda es su personalidad infantil, alocada, feliz; y la primera, su personalidad poco motivada, impotente, quejumbrosa. Esa noche se encuentra en medio de dos marchas, entre impotente y pueril, pero a Ray no le importa. A Ray no le importa porque esa noche es la noche por lo que a él respecta, la noche en la que ella va a desnudarse. Y se siente obligado a mantener con ella la Conversación. Es oportuno hacerlo esa noche debido a su doctrina de la justicia: antes de desvestirse deben pronunciarse los discursos.

–Creo que debo decirte unas cuantas cosas. Creo que no estoy preparado para embarcarme en una relación seria en estos momentos –dice, no a

Mirabelle sino al aire, como si acabara de descubrir la verdad sobre él mismo y la expresara por casualidad en alto.

–Lo pasaste mal con tu divorcio –responde Mirabelle.

Comprensión. Para Ray Porter eso es un buen síntoma. Ella sabe perfectamente que no se trata de una relación a largo plazo. Continúa:

–Pero me encanta verte y quiero seguir haciéndolo.

–Yo también –dice ella.

Mirabelle cree que él le ha dicho que está a punto de enamorarse de ella, y Ray cree que ella entiende que él no va a ser el novio de nadie.

–Estoy viajando mucho en estos momentos –dice él.

Con esa frase le hace saber que le gustaría ir a la ciudad, acostarse con ella y marcharse.

Mirabelle cree que está expresando su frustración por tener que irse de la ciudad y que está tratando de viajar menos.

–Lo que quiero decir es que deberíamos dejar todas las puertas abiertas, si te parece bien.

Llegado a ese punto, Ray cree que le ha dicho que, a pesar de lo que podría ocurrir esa noche, van a seguir saliendo con otras personas. Mirabelle cree que, después de reducir sus viajes, verán si deben casarse o seguir como novios.

De modo que ya han tenido la Conversación. Lo que ninguno de los dos comprende es que estas conversaciones no significan nada. No significan nada para el que habla y no significan nada para el que escucha. El que habla cree que se le escucha y el que escucha no se da por aludido. Hombres, mujeres, perros y gatos, estas palabras nunca se escuchan.

Charlan de trivialidades durante la cena, y luego Ray le pregunta si quiere ir a su casa y ella dice que sí.

El acto sexual

Con un interruptor, la iluminación de la casa de Ray pasa de ser la de una oficina de correos a la de un club de jazz. Empieza a fantasear sobre los acontecimientos que están a punto de tener lugar. Sus horas de estar con Mirabelle sin poseerla están a punto de dar paso a un viaje ilimitado. El recuerdo de ella sentada sobre él, cuando él le apretó ligeramente los senos a través de las capas de ropa, cristaliza su deseo y lo hace crepitar.

Ray se siente atraído no sólo porque es hombre y ella es mujer. Es sencillamente porque el cuerpo de Mirabelle, como pronto descubrirá, es absolutamente afrodisíaco. Su intuición lo percibió, lo condujo a la cuarta planta y se ha reafirmado con cada olor y roce accidental. Lo dedujo por su aspecto, y por la abundancia de su pelo y la longitud de sus dedos, y por el brillo fosforoso de su piel. Y esa noche sentirá el comienzo de una adicción que no podrá romper, el incesante tira y afloja de una embriaguez que sospecha que debería evitar pero que no puede resistir.

Le pone las manos en los lados del cuello, pero ella se agarrota. Dice que eso le pone nerviosa. Eso requiere dar marcha atrás, y él se separa de ella y hace varios comentarios irrelevantes antes de volver a empezar. Se tumban en la cama y juguetean, una confusión de botones, hebillas y zapatos tintineando y entrechocando. Esta vez él hunde la cara en su cuello e inspira, inhalando su perfume natural. Eso provoca la respuesta adecuada. Se quitan unas cuantas prendas de ropa.

Están relajados. No van directos al acto sexual, sino que se toman descansos para hablar, descansos para bromear, descansos para ajustar la música. Las cosas se vuelven más intensas, aflojan, vuelven a calentarse. Al cabo de unos minutos de explorar el paisaje de su barriga desnuda, él toma un descanso para ir al cuarto de baño y desaparece por la puerta.

Mirabelle se levanta y se quita de forma metódica toda la ropa. Luego se tumba en la cama y sonríe para sí. Porque sabe que está revelando su más secreta y singular baza.

El cuerpo de Mirabelle no es extraordinario. No coquetea ni hace señas, y eso hace que los hombres a los que les va lo dramático vayan a otro lugar. Pero visto en el radio de una cama doble, o sostenido en las manos o manipulado en busca de placer, es un pequeño espectáculo de perfección.

Ray entra en el dormitorio y la ve. Su piel parece tener debajo de ella débiles microluces que brillan del rosa al blanco. Los pechos asoman por los costados al aplanarse contra las sábanas, y la línea del cuerpo se eleva y se cae en delicadas olas. Él se acerca, pone una mano en la parte inferior de su espalda y se detiene allí, luego le da la vuelta, le besa el cuello, le recorre con una mano las piernas y la desliza entre ellas, a continuación le acaricia los pechos, la besa en la boca mientras ahueca la mano sobre su vagina hasta que se abre, después la come, le hace el amor, con tanta prudencia como lo permite el momento. Ella piensa de nuevo en lo distinto que es eso de Vermont. Luego él la coloca de espaldas a él y acerca el cuerpo al suyo. Mirabelle, en posición fetal, acurrucada como un gusano, recibe la proximidad de Ray Porter como si se tratara de una fuente de alimento. Se despiertan por la mañana cada uno en un extremo de la cama.

Desayuno

Mientras desayunan, temprano porque Mirabelle tiene que ir a trabajar, ella tiene siete años. Permanece sentada esperando a que él le sirva. Ray Porter saca el zumo, prepara el café, pone los platos, tuesta el pan y sirve los cereales. Coge el periódico. Mirabelle es tan dependiente que no le habría venido mal que una niñera le sostuviera la boca abierta y le diera de comer a cucharadas los copos de avena. Habla con frases de una sola palabra, lo que obliga a Ray a llenar los silencios con preguntas inofensivas, como un adulto tratando de romper la coraza de un adolescente desinteresado. En esa instantánea de la mañana se esconde la definición de su futura relación, que Ray Porter llegará a comprender casi dos años después.

–¿Te gusta el desayuno?

Ray decide intentar sacar un tema que está en la visión inmediata de ambos.

–Sí.

–¿Qué sueles desayunar?

–Una bagel.

–¿Dónde compras las bagels?

–Hay una tienda a la vuelta de la esquina.

Fin de conversación. Él vuelve a empezar.

–Estás en muy buena forma.

–Yoga –dice ella.

–Me encanta tu cuerpo –dice él.

–Tengo el trasero de mi madre. Dos pequeñas pelotas de baloncesto cubiertas de carne, así es como lo describió ella una vez en un trayecto en coche. –Suelta una risita. Ray le mira la cara con extrañeza y ella lo ve y dice lo único gracioso de la mañana–: No te preocupes, es mayor que tú.

Él quiere alargar una mano y deslizarla por la abertura del albornoz que le ha prestado. Quiere revivir lo de anoche, recorrer con las manos los pechos, analizar, codificar y confirmar su belleza exacta, pero no lo hace. Eso tendrá lugar otra noche con cena, vino, paseo y charla, donde la seducción no se dé por sentada y el resultado no esté determinado. Su motor sexual ya está gimiendo y ronroneando por su próxima cita.

La libido de Ray va veinticuatro horas por delante de su razón, y al día siguiente a esa hora recordará que Mirabelle se vuelve indefensa por la mañana y se preguntará la razón (su mente funciona despacio cuando se trata de mujeres; a menudo no sabe cuándo lo insultan, desairan o manipulan hasta meses o a veces años después). Pero como no sabe qué esperar de una mujer –los cuatro años que lleva saliendo con ellas no le han educado realmente–, acepta el comportamiento matinal de Mirabelle de forma pasiva. Sus anteriores experiencias han sido con mujeres ambiciosas, vitales, extrovertidas y tenaces que, cuando están insatisfechas, atacan. La embotada inercia de Mirabelle lo atrae hacia un lugar tranquilo, un sosegado colchón femenino de aceptación.

La acompaña en coche a su casa, justo a tiempo para prepararse y llegar tarde a trabajar.

La edad adulta de Jeremy

La plantilla se sujeta sobre el amplificador mediante una cinta adhesiva, y Jeremy ha aprendido a aplicar de forma uniforme la pintura con un hábil chorro de aerógrafo. La Compañía de Amplificadores Doggone tiene un logo de un perro con las líneas de velocidad de las tiras cómicas detrás de él y el nombre de la marca debajo en un semicírculo. No es fácil rellenar las finas líneas de velocidad; algunos de sus anteriores encargos, antes de que se sumara a las filas, son desiguales y chapuceros. Trabaja acuclillado en una postura incómoda que sólo alguien con menos de treinta años podría soportar mucho tiempo antes de buscar empleo en otra parte. Su sueldo es tan precario que en su cheque de la paga podría leerse «tantos *míseros* dólares» y nadie lo habría desmentido. Pero es la ropa de trabajo de Jeremy la que habla de su profesión: sus tejanos son como un Jackson Pollock y su camiseta parece una Helen Frankenthaler; está trabajando en el peldaño más bajo de las artes.

Su jefe, Chet, cruza sin prisa el almacén con un cliente a la zaga, y sus débiles voces amortiguadas viajan flotando por encima de los montones de amplificadores hasta los oídos aguzados de Jeremy. Él alcanza a verlos y advierte que el cliente es un hombre de negocios vestido con estilo, seguramente el mánager de un grupo de rock que trata de tomar prestados una tonelada de amplificadores a cambio de promoción. El problema de la negociación, por supuesto, es que Chet sólo quiere vender amplificadores, y el mánager sólo los quiere gratis. No hay término medio. El negocio de Chet está anegado y a punto de hundirse, y sencillamente no puede permitirse enviar quince mil dólares en equipo para utilizarlo meses después. El mánager se escabulle con un apretón de manos y Chet se queda allí mientras el Mercedes sale del aparcamiento a través de la valla de tela metálica.

Para Cristóbal Colón fue la partida de tres naves lo que inició el gran viaje de su vida. Para Jeremy es ver a Chet observando abatido cómo el culo de un coche de cien mil dólares se reduce a un punto de fuga por una calle industrial de Pacoima. Deja la pistola rociadora y se adentra en el campo de visión de Chet.

–¿Sabe qué estoy pensando?

–¿Qué? –se limita a responder Chet.

–¿Sabe quién alterna con los músicos de rock cuando están de gira?

–¿Quién? –pregunta Chet.

–Otros músicos de rock.

–¿Y?

–Si tuviera a alguien viajando con uno de los grupos que utilizan nuestro material, alguien con estilo, como ese tipo... –Jeremy mueve el pulgar en dirección al polvo que ha levantado el Mercedes– ... alguien con quien los músicos pudieran identificarse, apuesto a que vendería muchos más amplificadores.

–¿Estás pensando en alguien?

–En mí.

Chet mira al espectro de ineptitud que tiene delante. No ve a un hombre de negocios vestido con estilo; no ve a un vendedor inteligente. Pero sí ve a alguien con quien cree que podría identificarse un músico de rock.

–¿Y cuánto te gustaría cobrar por eso? –pregunta.
–Lo haría por...
A Jeremy nunca le han hecho una pregunta así. Siempre le han dicho lo que va a cobrar. No es capaz siquiera de rellenar un formulario de solicitud de empleo que pregunte «sueldo deseado», ya que lo confunde; siempre quiere escribir un millón de dólares. Pero se lo han preguntado y tiene que responder.
–... nada.
–¿Qué quieres decir con nada?
–Podría hacerlo por...
Jeremy ha oído una sola frase financiera en su vida, y abre y cierra cada puerta del banco de su memoria hasta que la encuentra.
–... una comisión porcentual.
–¿Sobre qué? –pregunta Chet.
–Sobre cada grupo que utilice los amplificadores. Y si otro grupo empieza a utilizarlos a través de un grupo al que yo he convencido para que los utilice, me gustaría cobrar también una comisión sobre él. –Y luego se apresura a añadir–: De quinientos dólares.
Chet no ve ninguna razón para no aceptar la propuesta de Jeremy. Después de todo, es una especie de trabajo a comisión, un Avon llama del rock and roll. Dado que un equipo de amplificadores puede costar quince mil dólares, será fácil desviar quinientos hacia Jeremy. No ve ningún problema en encontrar a alguien que lo sustituya, su sobrino acaba de salir del instituto y está buscando empleo en algo relacionado con el arte. Jeremy, so-

breestimándose, está pensando justo lo contrario: «Espero que no se dé cuenta de que tendrá que encontrar un sustituto.»

Chet acepta la oferta pero tiene que soltar algo de dinero. Doscientos veinte dólares para que Jeremy se compre un traje nuevo. Jeremy es lo bastante emprendedor para estirarlos y comprarse unos pantalones de repuesto para no parecer una copia exacta de sí mismo día tras día. Luego se gasta cinco dólares en un número de *GQ* para utilizarlo como libro de cabecera sobre el vestir, y descubre formas de combinar sus seis camisas con estilo hasta componer un vestuario semanal. Una vez en la carretera, aprende a echar un vistazo a los quioscos y arranca a hurtadillas páginas de revistas con ideas sobre moda.

El primer concierto de Jeremy es con el único grupo profesional que utiliza los amplificadores Doggone. Age, pronunciado tal cual. Age ha conseguido algo de éxito con un disco aislado y Jeremy se ofrece a acompañarlos gratis a cambio de reparar los amplificadores durante la gira. Viajará con ellos en su autocar y dormirá con el encargado del transporte y montaje del equipo. Su verdadera misión, por supuesto, es convencer a algún otro grupo, en otra parte, de que es un genio de la acústica que ha desarrollado el no va más en amplificadores, y que los amplificadores Doggone son los únicos que un grupo de moda puede considerar.

Tres días antes de Acción de Gracias sube al autocar auxiliar de Age para emprender una gira de sesenta ciudades que empieza en Barstow, California, se dirige a Nueva Jersey y, noventa días después, en una elección maestra de ruta ilógica, termina en Solvang, California.

El día de Acción de Gracias

La siguiente cita de Ray y Mirabelle después de la noche de su consumación es tan satisfactoria como la primera, pero Ray estará fuera de la ciudad el día de Acción de Gracias, de modo que Mirabelle se ve obligada a contar con sus poco fiables amigas. Varios días antes habla con Loki y Del Rey, quienes le dicen que van a ir a una fiesta en West Hollywood, pero que aún no saben la dirección y que la llamarán para que se apunte. Varios días antes escoge la ropa para la ocasión, para evitar llevarla sin querer poco antes y encontrarse con que no tiene nada que ponerse el gran día. En realidad, su verdadero pesar es no estar con su familia, pero tiene que escoger entre el día de Acción de Gracias o las Navidades, y las Navidades es un período mejor y más largo para marcharse. Debido a su escasa importancia en Neiman's se las arregla para conseguir cinco días de fiesta, ayudándose de la gran mentira de que el psiquiatra de su hermano se toma vacaciones y se necesita a toda la familia para controlarlo. Mirabelle formula esa petición al señor Agasa con un ligero tono lastimero que da a entender que está al borde de las lágrimas. La sincera compasión que muestra el señor Agasa por el hermano totalmente sano de Mirabelle la hace avergonzar, sobre todo cuando motu proprio le da varios títulos de libros que relacionan una buena salud mental con el ejercicio, obligando a Mirabelle a anotarlos sumisamente y a guardarlos en su bolso.

La mañana del día de Acción de Gracias, Mirabelle se despierta aterrada. Le preocupa que Loki y Del Rey no la llamen, no sería la primera vez que le fallan sin pensárselo dos veces. No puede renunciar a ellas como amigas porque necesita desesperadamente la birriosa compañía que le ofrecen. Son su única fuente de información sobre fiestas, ya que las chicas de Neiman's la tienen por solitaria y le hacen el vacío. Espera hasta las diez de la mañana para llamarlas a las dos y les deja mensajes en sendos contestadores automáticos, preguntándoles la dirección de la fiesta del día de Acción de Gracias. A esas alturas, Mirabelle prevé un día desastroso por delante a menos que una de esas dos excéntricas la llame para darle la dirección. En primer lugar, no tiene dinero. Segundo, aun cuando lo tuviera, sabe que el día de Acción de Gracias todo está cerrado a cal y canto, excepto el clásico restaurante que tendría que sacar de las Páginas Amarillas y que para encontrar tal vez tendría que ir en coche hasta el centro de Los Ángeles. Abre la nevera y ve una caja con medio sándwich escaso que rescató de un almuerzo hace dos días. Horrorizada, los iris marrones de sus ojos se contraen ante esos restos, que ve como su comida de Acción de Gracias en potencia.

Sale a pasear por la calle vacía y tranquila de su casa, confiando en que cuando vuelva verá encenderse y apagarse la luz roja de su contestador. En las breves manzanas alrededor de su casa no hay ningún movimiento. Puede oír actividad, la portezuela de un coche cerrándose de golpe, voces charlando, un perro ladrando, pero esos sonidos son distantes e incorpóreos. Deja atrás el patio del colegio próximo a su apartamento y oye el ruido metálico de una cadena que golpea en la brisa contra una barra metálica. No se ve ni un alma viviente.

Cuando regresa en línea recta y sube las escaleras hasta su apartamento, es mediodía. Desde el otro extremo de la habitación ve que la luz no parpadea, no señala el fin de sus preocupaciones. Vuelve a salir y repite su paseo de treinta minutos.

Esta vez hace cálculos. Calcula el tiempo que tardarán Loki o Del Rey, una vez que reciban el mensaje, en llamarla. Una vez en casa, probablemente escucharán el mensaje en los primeros diez minutos. Podría haber en sus contestadores otros mensajes que devolver, podrían tener otras cosas que hacer. Eso significa que pasará media hora desde que escuchen el mensaje hasta que la llamen. Mirabelle sabe que su paseo sólo dura media hora y, haciendo cálculos como Ray Porter, supone que no habrá un nuevo mensaje en su contestador cuando regrese. De modo que tuerce en una calle lateral y alarga el paseo diez minutos.

Cuando llega a casa, abre con torpeza la puerta y ve –con el rabillo del ojo, sin querer traicionar ante sí misma su propia ansiedad– cómo la luz roja del contestador le parpadea en una síncopa. Espera un minuto antes de escucharlo, ocupándose en la cocina con una tarea inventada. Es Jeremy, que llama desde la carretera, deseándole de forma vaga un feliz día de Acción de Gracias y anulando simultáneamente la amabilidad de su llamada al jactarse de que está utilizando el teléfono gratis.

Mirabelle se sienta en su futón con las rodillas contra el pecho y echa la cabeza hacia delante. Impaciente, da golpecitos con los pies en el suelo al compás del tictac del reloj, primero una hora antes de que empiece la fiesta, luego una hora después de que empiece la fiesta, y continúa hasta las cuatro de la tarde, cuando por los bordes de sus ventanas empieza a asomar la oscuridad. Saca su material de dibujo y durante la siguiente hora se dedica a llenar un fondo de negro y deja en blanco una inquietante y flotante imagen de sí misma desnuda.

Suena el teléfono. Cualquier llamada será buena ese día funesto. Mientras suena se queda mirándolo, vengándose del que llama por el retraso, luego descuelga el auricular y escucha.

–Hola. ¿Qué estás haciendo?

Es Ray Porter.

–Nada.

–¿Vas a ir a alguna parte para Acción de Gracias?

–Sí.

–¿Puedes anularlo? –pregunta Ray.

–Puedo intentarlo. –Mirabelle se asombra de su respuesta–. ¿Dónde estás?

–En estos momentos en Seattle, pero puedo estar allí en tres horas y media.

Ray ha sentido a las cuatro de la tarde lo que Jeremy sintió una vez a medianoche: el deseo de sumergirse en Mirabelle. Sólo que la distancia de Seattle a Los Ángeles es más corta que la que hay entre Jeremy y Mirabelle cuando dos personas quieren exactamente lo mismo. Ray tiene un avión esperándole, por tan sólo nueve mil dólares, y para cuando ella ha colgado él ha salido por la puerta.

En las horas que transcurren entre la llamada telefónica y la llegada de Ray, la química del cuerpo de Mirabelle cambia a cada momento, y a veces irrumpe en su mente una imagen fugaz de un amor profundo yendo a su encuentro. El señor Ray Porter, a veintiocho mil pies de altura, ve sus dos pezones de color rosa brillante irguiéndose en sus blandos senos. Pero en alguna parte, tan distintos como lo son estas dos imágenes, el deseo de Ray y el de Mirabelle se cruzan, y dentro de unos estrechos límites, ambos están enamorados el día de Acción de Gracias.

Ray trae comida de avión para dos, que en el servicio privado que utiliza no está mal. Langosta, bogavante y postre de fruta, todo envuelto en film transparente. Se acurrucan en la cama de ella con su festín desplegado ante ellos, las velas encendidas, y él le dice lo guapa que está y lo mucho que le gusta acariciarla, y más tarde ella saca los guantes que él le envió, se queda de pie ante él con nada más que ellos puestos, se sube a la cama y lo acaricia eróticamente con los Dior de raso.

Hacen el amor despacio, y después él le desliza

las manos alrededor de la cintura y la abraza. Y aunque el gesto es puesto ligeramente en entredicho por una falta de ternura definitiva y fundamental, la mente de Mirabelle flota en el espacio, y los cinco dedos que la atraen hacia él son recibidos en su corazón como un salmo. Es una sensación reconfortante, un contacto, aunque débil, que le hace sentirse unida a algo, a alguien, y menos sola.

Más tarde, mientras el millonario yace a su lado en la cama demasiado estrecha de la habitación demasiado pequeña, con un brazo alrededor de ella y el gato sobre el pecho, hablan intercambiándose bloques de información. Ray escucha las penas de ella en el trabajo, con el coche, con sus amigas, y Ray inventa unas cuantas penas para compartir con ella. Hablan, pero su conversación tiene menos importancia que el contacto de la mano de él en el hombro de ella.

–Las vacaciones pueden ser duras para un soltero. A mí por lo general no me gustan –dice Ray.

–Para mí también lo son –dice Mirabelle.

–Navidad, Acción de Gracias...

–... todas son malas –coincide Mirabelle.

–Odio Halloween –dice Ray.

–Oh, a mí me gusta Halloween.

–¿Cómo puede gustarte? Tienes que pensar en un disfraz, y si no te disfrazas eres un aguafiestas –dice Ray.

–Me gusta Halloween porque siempre sé de qué ir –dice Mirabelle.

–¿De qué?

–Bueno, de Olivia Oyl.

Mirabelle da a entender un «estúpido» después de hablar. Lo dice sin el menor indicio de ironía, de hecho con satisfacción porque al menos esa parte de su vida esté resuelta.

Aunque él no lo sabe, Ray Porter folla con Mirabelle para sentirse cerca de alguien. Le cuesta cogerle la mano; no es capaz de pararse en la calle y abrazarla espontáneamente, pero el acto sexual le acerca a ella. Mirabelle, por otra parte, está dejando su vida de lado por él. Cada vez que abre las piernas, cada vez que se vuelve y levanta las rodillas para que él la penetre, sacrifica un poco de sí misma, le da un poco más de ella que él no puede devolverle. Ray, al no comprender que lo que recibe de ella se lo está arrancando, cree que el acuerdo es justo. La trata bien. Ha empezado a comprarle pequeños regalos. Siempre se muestra considerado con ella y nunca le insiste si ella no está de humor. Confunde sus acciones con amabilidad. Mirabelle no es lo bastante experimentada para comprender lo que le está ocurriendo, y Ray Porter no es lo bastante experimentado para saber lo que le está haciendo. Ella se está enamorando, y confía totalmente en que su amor sea correspondido una vez que Porter entre en razón. Pero en ese momento él está utilizando las horas que pasa con ella como un refugio para su propia necesidad de proximidad.

Por la mañana, en una cafetería de la esquina, Ray lo estropea todo reiterando su independencia, hasta diciendo claramente que su relación no descarta salir con otras personas, y Mirabelle, de un modo lógico y racional, y creyendo que ella también es capaz de salir con hombres al azar, da su consentimiento por los dos, y luego añade que si él se acuesta con alguien, debe decírselo.

–¿Estás segura de que quieres que lo haga?

–Sí –dice Mirabelle–, es mi cuerpo y tengo derecho a saberlo.

Ray la cree, porque es ingenuo.

Ray se queda tres días en Los Ángeles, ve a Mirabelle una noche más, la llama dos veces, la hiere sin darse cuenta una vez más, hace levitar una vez su espíritu, le hace el amor otra vez, le compra un reloj y una blusa, le piropea su pelo y la suscribe a *Vogue*, pero rara vez, tal vez un par de veces, la besa. Mirabelle finge no darse cuenta, y pasa por delante de las chicas de la sección de perfumes con confianza, inspirada por la prueba innegable de que alguien está interesada en ella.

El visitante

–¿Puedo invitarla a comer?

Mirabelle está de pie en su puesto y ante ella hay un hombre de alrededor de cincuenta y cinco años, un poco grueso, con el pelo cortado al rape y vestido como alguien que en su vida ha dedicado un momento de reflexión a la ropa. Todo lo que lleva es del material inapropiado para un devoto de Neiman's, su cinturón no es de cuero, sus zapatos son comprados por catálogo. En la cabeza luce uno de esos sombreros anchos, chatos y redondos, y va con camisa sintética de palmeras, pantalones de algodón y unas tronadas botas de trabajador.

–¿Es usted Mirabelle Buttersfield?

–Sí.

–Yo soy Carter Dobbs. Estoy buscando a su padre.

Mirabelle y Carter están sentados en el Time Clock Café. Esta vez en el cuadro vivo no está su admirador Tom, pero la mayoría de la clientela habitual entra y sale, como si un director de cine invisible hubiera gritado: «Todos a sus puestos.»

Unos minutos de conversación bastan para que Mirabelle sepa por qué ese hombre no encaja, ni le preocupa hacerlo, en la matriz de Beverly Hills.

–Estuve en Vietnam con su padre. He tratado de localizarlo en esta dirección...

Desliza un papel hacia ella por encima de la superficie metálica de la mesa.

Mirabelle ve que es la dirección de su casa, que no ha cambiado en veintiocho años.

–Le he escrito, pero nunca he recibido una respuesta –dice él.

–¿Él le conoce? –pregunta Mirabelle.

–Me conoce bien. Nunca hubo ningún problema entre nosotros, pero no me contesta.

–¿Por qué?

–Creo saber la respuesta, pero es algo personal, y supongo que necesita hablar conmigo.

–Bueno –dice Mirabelle–, ésa es nuestra dirección. No sé por qué no quiere ponerse en contacto con usted, pero...

–¿Va a verlo? –la interrumpe Carter.

–Sí, lo veré en Navidad, y puedo darle su tarjeta o lo que quiera.

–Gracias. Los que no responden son los que más necesitan hablar.

–Hace tanto tiempo de eso.

–Sí, querida. Mucho tiempo. A algunos les va mejor que a otros, y me he arrogado la misión de llegar a mis hermanos y asegurarme de que están bien. ¿Está bien su padre?

–No siempre.

Mirabelle trata de analizar a Carter. Ha visto a hombres como él en Vermont, aunque salta a la vista que Carter no es de allí, con ese acento que no es del Medio Oeste, sazonado de vez en cuando con un sutil alargamiento de las palabras. Educado, amable, moral. Igual que su padre. Sólo que Carter Dobbs quiere hablar.

El padre de Mirabelle, Dan Buttersfield, nunca le ha hablado de nada emotivo. A ella le ocultan los secretos de la familia; nunca lo ha visto enfadado. Él nunca le ha contado nada sobre Vietnam. Cuando le pregunta, sacude la cabeza y cambia de tema. Es estoico como debe serlo una buena persona de la clase privilegiada de Vermont. Mirabelle tenía diecisiete años cuando la casa se conmocionó al salir a la luz que su padre, a quien ella adoraba, había tenido una aventura amorosa que había durado siete años. La edad emocional de Mirabelle siempre ha llevado un retraso de cinco años respecto a la real, de modo que reaccionó ante la información como una doceañera. Le causó una honda impresión y le hizo fingir que era feliz durante los siguientes once años. Ese suceso encaja exactamente en el rompecabezas de tristezas que Mirabelle sigue ensamblando en su interior. Después de haber observado la lucha de su madre, en su fuero interno Mirabelle alberga el temor de que le ocurra lo mismo a ella, y cuando en su vida ocurre algo parecido, como un novio que vuelve con una ex novia, se derrumba.

Carter Dobbs la acompaña de nuevo a Neiman's. Le da su tarjeta de Recambios de Automóviles Dobbs de Bakersfield, California, y se despide dándole un apretón en el brazo. Mientras se vuelve, ella pone por fin nombre a lo que le inquieta de él. No se ríe.

Chica de confianza

Mirabelle está atascada en un tráfico de viernes, y sólo es jueves. Avanza lentamente por Beverly y pilla en rojo cada semáforo. No logra pisar el acelerador en el nanosegundo exacto en que cambian y nada menos que dos conductores le tocan la bocina.

Atrapada en la oscuridad de su coche, con los limpiaparabrisas en marcha, se siente inquieta. Le da miedo la noche. Luego la inquietud cede a una momentánea y aterradora levitación de la mente sobre el cuerpo. Siente cómo su espíritu desconecta de su yo corpóreo, y se le acelera el pulso. Hace unos meses notó la tarjeta de visita de ese visitante inoportuno en su cuerpo, que pareció recorrerla y desaparecer. Esta vez es más fuerte que nunca y dura más tiempo. Es como si tuviera el cuerpo sujeto por pesos y le desmantelaran metódicamente la mente.

Las escaleras que llevan del aparcamiento imposible de franquear a su puerta son interminables; sube con dificultad escalón por escalón. La puerta pesa cuando la empuja con la llave puesta. Una vez dentro, se queda sentada varias horas en el futón sin moverse. El gato la empuja suavemente pidiendo su cena, pero ella no se puede levantar.

Mirabelle ha pasado antes por eso, pero la intensidad de la depresión le impide recordar que la causa es química. Como le ocurrió hace varios años, le está fallando la medicación.

Suena el teléfono, pero no puede contestar. Oye a Ray Porter dejar un mensaje. Se arrastra hasta la cama sin cenar. Cierra los ojos y la depresión le ayuda a dormir. Dormir, sin embargo, no es un alivio. La depresión no se retira, esperando educada para regresar a la mañana siguiente cuando ella esté renovada. Se queda, y por la noche actúa sobre ella aun mientras duerme, envenenando sus sueños.

Por la mañana llama al trabajo para decir que está enferma y finge que tiene gripe, que es la enfermedad que más cerca está de expresar lo que experimenta en realidad. Hacia el mediodía se le ha ocurrido llamar a su médico, quien quiere que vaya a su consulta y sugiere que está experimentando un colapso farmacéutico. Pero el malestar químico le hace perder el interés incluso en recuperarse, y nota cómo se escabulle el valor de todo lo que le importa: dibujar, su familia, Ray Porter. Por primera vez en su vida piensa que preferiría estar muerta.

Transcurren las horas, y habría podido pasarse todo el día sentada en su futón si hacia las cuatro no hubiera sonado el teléfono. Esta vez contesta.

–¿Estás bien?

Es Ray Porter.

–Sí.

–Te llamé anoche.

–No recibí el mensaje. Mi contestador hace el tonto –miente ella.

–¿Quieres que salgamos a cenar esta noche? Es mi última noche aquí por un tiempo.

Mirabelle no puede responder.

–¿Estás bien? –repite Ray.

Esta vez ella deja que el tono de su voz hable por ella.

–Más o menos.

–¿Qué te pasa?

–Tengo que ir al médico.

–¿Por qué? ¿Por qué tienes que ir al médico? ¿Qué problema tienes?

–No. Tengo que ir a mi... Tomo Serzone, pero ha dejado de hacerme efecto.

–¿Qué es Serzone? –pregunta Ray.

–Es como Prozac.

–¿Quieres que te acompañe al médico? ¿Quieres que te pase a recoger y te lleve en coche a la consulta?

–Probablemente debería ir...

–Pasaré por tu casa y te llevaré.

En menos de una hora Ray la recoge, la deja en la consulta del doctor Tracy y se queda en el coche, esperando en una zona de prohibido estacionar de Beverly Hills. Observa el torrente de gente que entra y sale del edificio, y se pregunta cómo puede permitirse Mirabelle pagar ese tratamiento, pero las prestaciones para los empleados de Neiman's le proporcionan un médico de cabecera y, por suerte, el suyo se ha trasladado del valle, a veinte kilómetros de su apartamento, al Conrad Medical Building, a dos manzanas de su empleo. Ray ve salir del edificio a una mujer atractiva de treinta y pocos años con un sombrero de ala ancha inclinado sobre la cara, ocultando dos labios recién agrandados. Ray Porter supone que después de la inyección hay un período de espera durante el cual se desinflan hasta acercarse a una forma humana normal. Ve a una briosa chiquita con el trasero envasado al vacío dentro de un traje cruzado de rayón amarillo, el torso encaramado sobre dos tocones. Ve lo que creía que no existía salvo en las parodias: un hombre de negocios de piel acartonada con el pelo teñido de negro, la camisa desabrochada hasta la cintura y el pecho cargado con catorce quilates. Tintinea mientras cruza rápidamente la calle.

Ve a una docena de mujeres que han decidido que el exceso es lo mejor en lo que se refiere a pecho. Se pregunta si están de broma; se pregunta si los hombres que las adoran disculpan su falta de gusto y las quieren de todos modos, o si las ven como espléndidos ejemplos de mujer como hipérbole. Eso es lo que le gusta de Mirabelle; su belleza es natural, y puede estar seguro de que lo que hay de noche estará también por la mañana. Se pregunta qué es lo que le hace estar dispuesto a quedarse sentado en el coche, un millonario esperando a una chica de veintiocho años. Es la lujuria que ella le inspira, o algo que está ocurriendo en su fuero interno y que lo impulsa a cuidar de ella de una forma inesperada e impredecible.

Ve a una familia de turistas con una hija de dieciséis años de una belleza tan pura que le hace avergonzarse de la imagen libidinosa que fugazmente le evoca.

Ray tiene unos límites muy amplios sobre lo que considera un blanco legítimo, aunque rara vez se ha permitido sumergirse por debajo del arbitrario nivel del agua de los veinticinco años. Lo que le distingue del hombre de pelo teñido que ha cruzado ruidosamente Bedford Drive hace unos momentos es que, tanto si lo sabe como si no, en realidad está buscando a alguien. Pero antes necesita morir varias veces metiéndose demasiado hondo con la persona que no le conviene; necesita romper un corazón y saber que él ha sido la causa, y experimentar la repentina pérdida de interés que puede ocurrir a las pocas horas de un momento álgido de deseo.

En ese instante de su transición a la madurez, no conoce la diferencia entre una mujer factible y otra que no lo es. Todavía tiene que llegar a eso. Entretanto deja vagar su mirada y se concentra inconscientemente en las zonas deseables más reducidas de una mujer. La nuca vista a la sombra del cabello. El arco del pie apoyado en una sandalia abierta. Un atractivo contraste entre el color de su blusa y el de su falda. Esos vislumbres impulsan su deseo, pero como no admite ante sí mismo que lo que quiere es lo pequeño, lo infla hasta abarcarla a toda ella y no considerarse así un mal tipo. Luego empieza el cortejo, se mienten inconscientemente y se estructura un esquema enormemente complejo, todo a fin de desentrañar el misterio de un tobillo que se desliza de forma seductora en una zapatilla de deporte demasiado grande.

Mientras Ray Porter permanece sentado en su coche en ese pasillo de lujuria, donde montones de mujeres pasan por los cables cruzados de su mente, un deseo por Mirabelle echa raíces y se extiende. Se recuerda que ella no se encuentra bien, pero podría estar de humor más tarde; de hecho, un buen polvo podría ser lo mejor para ella.

Mirabelle sale del Conrad Medical Building con una hoja del tamaño de una receta en la mano, se acerca al coche y explica a través de la ventanilla bajada que va a cruzar hasta la farmacia para comprarla. Ray asiente y le pregunta si quiere que la acompañe, y ella dice que no. Cuando Mirabelle está en mitad de la calzada, titubea y vuelve al Mercedes. Ray baja la ventanilla y Mirabelle, encogiendo el cuerpo como una niña avergonzada, habla.

–No tengo dinero.

Ray apaga el motor del coche, la acompaña y paga setenta y ocho dólares por cien tabletas de Celexa, el último milagro en química que debería enderezar el barco escorado de Mirabelle. De nuevo en el coche, le sugiere que se quede en su casa esa noche. Mirabelle lo toma como una muestra de su preocupación, y lo es. Sólo que su preocupación es una pócima compuesta de altruista benevolente y pene de chimpancé.

La lleva por las sinuosas calles hasta Hollywood Hills mientras ella se encorva cada vez más. El Celexa tardará semanas en hacerle efecto, y ella lo sabe.

–Gracias por todo.

–No hay de qué –dice Ray–. ¿Te sientes mejor?

–No.

Sin embargo, la idea de que alguien cuide de ella le levanta el ánimo lo justo para que no toque fondo como en su anterior depresión. Empieza a dolerle tanto la cabeza que cree que le va a estallar, y después de dejar el coche en el garaje, Ray la acuesta en la cama.

Si no hubiera aparecido el dolor de cabeza, Ray la habría acariciado, de los pechos al abdomen, y habría tratado de seducirla. El dolor de cabeza impide que ella vea el peor lado del deseo de Ray, y el peor lado del deseo de los hombres en general. Él tiene suerte de no intentarlo, porque ella lo habría odiado por ello.

Mirabelle duerme inmóvil y en silencio, su pelo castaño desparramado sobre la cara y el cuello. Ray se acuesta a su lado y hace zapping en el televisor que está encendido con el volumen muy bajo mientras resuelve un crucigrama, y de vez en cuando la mira, preguntándose si ése es el momento de despertarla para su importante cura sexual. Pero la noche transcurre sin incidentes, y al final se deja vencer por un sueño irregular hasta la mañana siguiente.

El desayuno se desarrolla como siempre, pero esta vez la inactividad de Mirabelle tiene sentido: está enferma. Ray va a estar fuera de la ciudad diez días, y la acompaña a su casa y espera a que se prepare para pasar el día en Hábitat. Mirabelle empieza a sentir motivación para curarse, y sabe que le sentará bien la actividad física.

–¿Estarás bien?

–Sí.

Él la abraza fuerte, con las palmas abiertas en su espalda robusta, y sale caminando hacia atrás y diciéndole adiós con la mano.

Mirabelle trabaja con expresión ausente en Hábitat para la Humanidad, levantando y trasladando placas de yeso, y mirando de vez en cuando a sus compañeros con una cara mareada que no oculta nada. Declina ir a tomar una cerveza con ellos a pesar de que uno de los voluntarios le está tirando los tejos. En su depresión, se ha puesto sin querer el conjunto idóneo para volver locos a los que la observan. Los pantalones caqui adecuados con la camiseta adecuada que le ciñe en la medida adecuada.

Ray la telefonea esa noche para preguntarle cómo está. Ella se siente un poco mejor, aunque sólo sea por el efecto placebo de una pastilla y por verse libre, al menos durante el fin de semana, de la monotonía de la sección de guantes. Sin embargo, se queda prácticamente sentada sin hacer nada hasta la mañana del lunes, separada de pensamientos suicidas sólo por una fina capa. Lucha todo el fin de semana para impedir que ésta se resquebraje.

Semanas después, no sabe si se encuentra mejor de forma natural o porque el Celexa está surtiendo efecto. Siente como un levantamiento de ánimo natural y se pregunta si necesita las pastillas. Pero no es estúpida, y recuerda haber oído que es una sensación común, de modo que sigue tomando las pastillas cada día.

Vermont

Las Navidades se acercan y ella está haciendo planes para ir a Vermont. Se marchará en uno de los peores vuelos imaginables, el matutino del día de Nochebuena a Nueva York, que enlaza con otro a las ocho de la mañana a Montpelier el día de Navidad, y luego tendrá que coger un autobús para recorrer los ciento veinte kilómetros hasta su casa. Ray le paga el billete al Este, porque imagina que las Navidades van a resentir su presupuesto, y ¿por qué no ayudarla? También le desliza doscientos cincuenta dólares extra para que no tenga que ir de indigente frente a sus amigos. Ella ya sabe lo que va a regalar a Ray para Navidad, el desnudo que hizo de sí misma la desesperada noche del día de Acción de Gracias, en la que está suspendida en un espacio negro. Y él sabe lo que le va a regalar a ella, una blusa de Armani que compró para ella sabiendo que le volvería loca.

Mirabelle empieza la pesadilla de su viaje con una llamada de Ray deseándole todo lo mejor y un sedán negro que él le envía para llevarla al aeropuerto. Aun volando a esas horas inhumanas, el sedán es el último santuario de tranquilidad antes de verse engullida por las multitudes de vacaciones. Después de varias horas, el 747 que llega a Nueva York apesta del sudor de cuatrocientos pasajeros que se han visto zarandeados en el agitado aire navideño. Ella hace transbordo en el aeropuerto JFK y se encuentra en un avión de hélice que espera en la pista una hora entera antes de despegar. Al descender sobre Montpelier, el avión pega botes a través de una tormenta de nieve y asusta hasta al piloto. Mirabelle tiene que reconfortar a un futbolista de metro noventa y dos y veinticinco años sentado a su lado, que gime con cada cambio a una velocidad inferior y cada movimiento de los alerones.

Ella no está nerviosa; no se le ocurre que el avión pueda hacer otra cosa que aterrizar, y pasa de tranquilizar al atleta de su lado a leer un libro.

A la mañana siguiente, después de recoger el equipaje sin ayuda y arrastrarlo hasta un transporte regular de enlace que la lleve a la estación de autobuses, tiene todo el aspecto de una estudiante que vuelve a su casa o una golfilla. El autobús, en el que hace calor y frío al mismo tiempo, avanza bajo la nieve ligera. Los pasajeros están igualmente divididos: algunos son como Mirabelle, viajeros exhaustos que han dormitado a trompicones en vuelos nocturnos interminables, mientras los otros son conversadores totalmente desvelados que se hallan en la primera etapa de su emocionante viaje de Navidad.

Cuando el autobús se detiene en Dunton a las once y media de la mañana, Mirabelle ve a su hermano mayor Ken dentro de la estación con una parka rojo brillante del tamaño de un barril de aceite. Se saludan apresuradamente con la mano mientras ella corre del autobús al coche con su fina cazadora de Los Ángeles; el viento helado le dice que ha estado demasiado tiempo en Los Ángeles. Su hermano pone en marcha el Volkswagen verde lima y murmura: «hola, niña», y luego conduce a unos ocho kilómetros por hora por las carreteras heladas. Ken es policía con un don sobrenatural para echar el guante a los delincuentes de esa pequeña ciudad, sobre todo porque conoce a todo el mundo y tiene un sexto sentido para los adolescentes que podrían estar mal encaminados. Ella siente por él mucho afecto, aunque éste nunca se ha traducido en una conversación sincera. Le pregunta cómo están sus padres y él responde la verdad, que no han cambiado.

Que no han cambiado significa lo siguiente: su madre no se imagina por nada del mundo que Mirabelle tiene relaciones sexuales, y su padre ignora por completo el tema. Aunque Mirabelle tiene veintiocho años, su estatus de niña nunca ha cambiado en su casa. Las relaciones de padre-hija y de hija-madre se han paralizado en el tiempo, y es esa contención que experimentó hace nueve años lo que le obligó a irse de casa y dirigirse a California, donde podría buscar a partir de cero su verdadera personalidad. Sin embargo, en cuanto cruza el umbral de la casa de sus padres, California da igual.

Moderación en todo, hasta en la prosperidad. Su padre mantiene a su familia de forma holgada, pero no ha logrado ir más allá. La casa es pequeña y de delgadas paredes, y tienen dos coches viejos. Pero en esos momentos su padre está desbocado por un éxito relativo vendiendo productos caseros al estilo Amway. Los ingresos extra significan que están haciendo algunos arreglos, y que un gran plástico cubre todo el tejado de la casa esperando que deje de llover para que puedan repararlo.

Catherine y Dan llevan casados treinta y cinco años, y la estoica construcción de su relación sólo se ha roto una vez, cuando Dan reveló su aventura de siete años con una vecina. Catherine se vino abajo, luego luchó y resucitó el matrimonio con un silencioso poder y una sutileza que no ha demostrado en ningún otro momento de su vida ni ha vuelto a revelarse de nuevo. La que se desmoronó, la que no se recuperó, la que no lo comprendió y vio la imagen de su padre resquebrajarse y hacerse pedazos, fue Mirabelle.

Mirabelle no supo recuperarse de esa traición, y Dan nunca supo que al engañar a su mujer, también engañaba a su hija. Pero ella seguía necesitando sentirse querida por ese hombre que había cometido lo incalificable, y los sentimientos contradictorios que sentía hacia su padre la confundieron y le impidieron crecer.

Aun antes de ese episodio, Mirabelle había temido a su padre, pero nunca ha podido recordar la razón. Sí recuerda un cambio en el comportamiento de él en algún momento después de que volviera de la guerra. Recuerda a un hombre cariñoso, hasta jovial, que se volvió huraño e indiferente, y con quien aprendió a mostrarse cautelosa. Con el silencio que inundaba la casa, Mirabelle se retiraba a su habitación y leía, empezando así una relación con los libros que durará toda la vida. Pero eso ocurrió hace años. Ahora su padre es mucho más agradable, como si se hubiera suavizado algo en él, como si con el tiempo se hubiera erosionado su determinación de ser inabordable.

–¿Cómo te va por allí?

Su padre está sentado en el sillón de la sala de estar, y Mirabelle en el sofá, casi relajada.

–Bien. Sigo trabajando en Neiman's.

–¿Qué tal tu arte?

Dan nunca ve sus tentativas artísticas como

algo frívolo y, en la medida que le es posible, las comprende.

–Estoy dibujando, papá. Hasta he vendido algún dibujo.

–¿En serio? Eso es estupendo, realmente estupendo. ¿Por cuánto los vendes?

–El último lo vendí por seiscientos dólares, a medias con la galería.

La madre de Mirabelle entra en la habitación con una bandeja de coca-colas y alcanza a oír el modesto alarde de su hija. La mira con recelo, como si dijera: «¿Es posible que sea cierto?» Por alguna razón siente la necesidad de hacerse la ingenua acerca de ese impulso artístico de Mirabelle. Finge que no comprende esa obsesión, que está más allá de su comprensión. El origen de ese autoengaño es una misteriosa y arbitraria decisión de poner ciertas actividades fuera de su reino de comprensión, al igual que el hombre que es sencillamente incapaz de comprender cómo se lavan y se secan los platos. La mujer que, al verse amenazada, se convirtió en un muro cortafuegos alrededor de su familia, ahora siente la necesidad de hacerse la tonta.

Los tres siguen charlando, y su padre propone salir a pasear por el barrio, cosa que hacen. Pasan por delante de ciertas casas para llamar a los vecinos y exhibir a su hija, y Mirabelle se convierte en la hija que fue para él antes de la revelación de su aventura. Espera detrás de su padre. Adopta una postura torpe y, con un hilo de voz, saluda tímidamente a los vecinos conocidos, y nada de lo que ha visto y vivido en California se refleja en su comportamiento. Catherine espera, en actitud de esposa, y Mirabelle la mira y se pregunta de dónde ha sacado ella su intenso erotismo.

Después de la comida familiar, cinco con la esposa de su hermano, Ella, Mirabelle se va a su habitación y se sienta en la cama entre las reliquias de su niñez. Han guardado en ella la máquina de coser que su madre ya no quiere, y en el armario hay unas cuantas cajas de cartón, pero por lo demás todo sigue igual. Hay una radio despertador de los años setenta, anterior a las digitales, en la mesilla de noche, exactamente donde estaba cuando Jimmy Carter era presidente. En la librería de mimbre pintada siguen estando en perfecto orden los libros en los que se enfrascaba Mirabelle cuando quería huir de la familia. El resplandor amarillo de la luz incandescente del techo lo baña todo, y eso también le resulta familiar. Se siente como una extraña en la casa, pero no en esa habitación. Esa habitación es suya, y es el único lugar donde sabe exactamente quién es y contra quién está luchando, y le gustaría quedarse siempre en ella.

Abre una de las cajas de cartón –cajones de cartón en cómodas de cartón– y ve montones de viejas declaraciones de renta que ya no tiene ninguna utilidad guardar, unos pocos libros de contabilidad y papel de envolver de Navidad. Se arrodilla y, quitando el polvo del suelo, abre el cajón de abajo. Un suéter doblado y más papeles financieros. En otro libro de contabilidad viejo encuentra una serie de fotos. Lo coge y las fotos se desparraman en el fondo de la caja. Revuelve entre ellas y encuentra fotos de ella a los cinco años en Navidad, colgada del cuello de su padre. Él es todo sonrisas y payasadas, su hermano está cerca con un arma espacial, y su madre es probablemente quien hace la foto. Pero para Mirabelle el misterio es: ¿qué ocurrió? ¿Por qué dejó su padre de quererla?

Se tumba en la cama sosteniendo las fotos en abanico como si fueran naipes. Cada una es un viaje al pasado; cada una revela un instante, no sólo en las caras, sino en los muebles y otros objetos en segundo plano. Recuerda esa mecedora, recuerda esa revista, recuerda ese *souvenir* de porcelana de Monticello. Se queda mirando las fotos, entra en ellas. Sabe que aunque al otro lado de la puerta están las mismas personas y los mismos muebles, la foto es irrepetible, no es posible hacer posar de nuevo a las personas y volver a disparar, no sin hacer retroceder el tiempo. Todo está presente pero es intocable. Esa melancolía se queda con ella hasta que se duerme, y le encanta que la sostenga, pero no acierta a comprender por qué esas fotos tienen un poder que va más allá de su obvio tirón nostálgico.

Al día siguiente ella y su padre salen a pasear por el bosque. En Vermont, vayas donde vayas terminas en el bosque, de modo que echan a andar en línea recta desde su jardín trasero. La nieve crujiente es fácil de franquear. Mirabelle lleva la parka de su madre, que le hace parecer inflada. Su padre es todo un hombre con camiseta forrada, camisa a cuadros y cazadora de piel de cordero. Después de la conversación sobre «cómo está mamá», en la que poco se dice y nada se responde, Mirabelle saca del bolsillo las fotos.

–Anoche encontré esto. ¿Las recuerdas?

Se ríe mientras se las tiende, para darle a entender que son inofensivas.

Después de buscar con torpeza las gafas, que están guardadas incómodamente bajo capas de aislamiento, Dan mira las fotos.

–Ajá.

Ésta no es la respuesta que buscaba Mirabelle. Había esperado que sonriera o riera o parpadeara ante un recuerdo grato.

–Salimos riéndonos bobamente –tantea.

–Sí, parece que nos estamos divirtiendo mucho.

Le devuelve las fotos. Ella se encoge ante su desconexión con los sucesos de las fotos.

De pronto descubre por qué las fotos tienen sobre ella un poder tan fuerte. Quiere volver a estar allí. Quiere estar en las fotografías, antes de esa Semana Santa, antes del cambio de personalidad que se operó en su padre. Quiere colgarse de los hombros de su padre como lo hacía de niña, quiere confiar en él y que él confíe en ella, lo suficiente para contarle sus secretos.

–Las sacaron justo después de que volvieras de Vietnam, ¿verdad?

Mirabelle ha tratado antes de abrir esa puerta. Hoy su respuesta es la misma de siempre.

–No estoy seguro. Supongo que sí.

El aire es cortante mientras Mirabelle y su padre siguen andando. Al llegar a un claro en el bosque cubierto de nieve, se detienen violentos. Mirabelle mete aún más la mano en el bolsillo y toca la tarjeta que le dio Carter Dobbs. La distancia hasta la casa le da el coraje y cree que ése es el momento.

–Hay un hombre que está tratando de localizarte –comenta–. Dice que te conoce.

Le ofrece la tarjeta. Cogiéndola, él se detiene en la gélida nieve y la mira, sin decir nada.

–¿Le conoces? –pregunta Mirabelle.

Él le devuelve la tarjeta.

–Lo conozco.

Y la conversación concluye. Pero ella ha advertido algo. Mientras sostenía la tarjeta, él ha recorrido el nombre con el pulgar y, mientras lo hacía, ha estado lejísimos de donde está ahora, en la nieve con su hija, en el bosque de su jardín trasero, en Vermont.

Su madre sale de casa para cuidar a su nieto de tres años. Mirabelle va a su habitación después de ver varias horas la televisión con su padre, que ahora habla en monosílabos. La casa está silenciosa, y coloca en ángulo la pantalla de la lámpara de la mesilla de noche y hojea varios libros de su juventud: *Mujercitas, Los chicos de Jo, Hombrecitos, Jane Eyre, La princesita, El jardín secreto, Los felices Hollisters*. Nancy Drew. Agatha Christie. Judy Blume: *¿Estás ahí, Dios? Soy yo, Margaret*. *Deenie*. *Starring Sally J. Freedman as Herself*. Pero algo le hace aguzar el oído. Algo... ¿el maullido de un gato? ¿O un animal herido a lo lejos? Pero su mente sigue recalculando los datos, localizando la fuente del sonido más cerca. Ese llanto, esos gemidos, vienen del interior de la casa. Con sus zapatillas en forma de conejo –regalo de las pasadas Navidades de una tía que creyó que Mirabelle tenía quince años–, abre la puerta de su habitación y sale al pasillo. No tiene que andar mucho para saber que los sonidos, que ahora ha identificado como sollozos, vienen de su padre, que está al otro lado de la puerta cerrada de su dormitorio. Se queda paralizada como un ciervo con patas de conejo, luego guía sus zapatillas hacia atrás hasta entrar de nuevo en su habitación, con sigilo. Cierra la puerta sin hacer ruido, como hizo una noche veintiún años atrás después de oír salir los mismos gemidos de la misma habitación.

El llanto se ha detenido y ahora la casa está silenciosa. Mirabelle se sienta en su sillón y ve la parka, que se ha caído al suelo al pie de la cama. Saca la tarjeta de negocios de Carter Dobbs. Se acerca al dormitorio de sus padres y deja la diminuta tarjeta contra la puerta. Luego retrocede silenciosamente hasta su habitación.

Seis meses pasan inadvertidos mientras Ray y Mirabelle viven en un paraíso temporal y pobremente construido, con él yendo y viniendo en avión, haciéndole visitas, invitándola a restaurantes buenos y llevándola de vuelta a su casa, acostándose a veces con ella, otras no. A veces la acompaña en coche a su apartamento y le da las buenas noches. A ella no le gusta hacer el amor con la regla. Cuando se siente deprimida, el sexo a veces la vuelve arisca, de modo que hay una torpe domesticidad mientras esperan a que se le pase. Él se ha fijado en que ella utiliza expresiones que perduran de su adolescencia *–no pegar sello, quedarse sobado, meterse en el sobre–* que tan pronto le divierten como le sacan de quicio. Guarda un cepillo de dientes aparte para ella. Como su casa está más cerca de Neiman's, a menudo ella pasa la noche con él y se lleva un bolso más grande de la cuenta con una muda para poder ir directamente a trabajar desde su casa. Cuando él fantasea con hacer el amor, piensa en ella y en nadie más.

Ray aparece un día en el contestador de Mirabelle, diciendo que está en la ciudad e invitándola a un acto social en Nueva York el mes siguiente, y sí, necesitará un vestido, de modo que podrían ir de compras. La lleva a Beverly Hills uno de esos días libres que ella flota, y pasan una erótica tarde comprando algo adecuado en Prada. Ray entrevé cómo se cambia detrás de las pantallas casi transparentes, y luego van a su casa, ella se prueba el vestido y él se lo quita enseguida y la folla. A lo largo de los días siguientes, Mirabelle hace planes para el viaje, se las arregla para pedir un día libre y cuenta en silencio los días que faltan.

Junio

Ray Porter no puede creer lo que está llorando Mirabelle, y lamenta no poder retirar lo que le ha dicho. Pero ella tiene la carta en la mano, débilmente cogida, y aparta la vista de ella mientras la deja caer en la cama. Baja la cabeza y solloza como una cría. Él ha escrito la carta porque quería decirlo sucintamente; no quería tartamudear ni suavizarlo, no quería cambiar de rumbo en mitad de una frase ni retirar lo que estaba a punto de decir al ver la mirada vulnerable de ella. Pero ella quería saber; le pidió que la informara y pareció decirlo en serio. De modo que le ha dado la carta en persona mientras estaban sentados en su dormitorio, al comienzo de la velada, que ha terminado horas antes de lo habitual.

Querida Mirabelle:

Supongo que la única manera de decirlo es decirlo: me he acostado con otra mujer. No fue romántico ni íntimo, y no pasé la noche con ella.

No te lo digo para herirte, ni porque quiera que cambie nuestra relación, sino sólo porque me pediste que lo hiciera. Espero que encuentres en ti un poco de comprensión.

Lo siento,

Ray

Con Mirabelle de espaldas, él coge la carta y la guarda rápidamente en un cajón para que ella no tenga que volver a ver la prueba tangible de lo que él ha hecho. La carta representa para ella algo horrible, y Ray procede con tino al hacerla desaparecer.

Ha estado dos horas deliberando mientras volaba a Los Ángeles. ¿Se lo dice o no? Pero ella le pidió que lo hiciera. Debió de decirlo en serio. Además, no fue amor, sólo un polvo. Y ella le pidió que se lo dijera. Ray ha pensado que es un nuevo requisito feminista que es su deber cumplir; que si no lo hace, es un cerdo. Que saldrá bien parado si se lo dice; nadie puede juzgarle de otro modo. Pero no importa cuál ha sido su proceso mental, sea lo que sea lo que se ha dicho que debe hacer, era falso. Porque su lógica no está basada en la comprensión del corazón de ella y sigue interpretándola mal.

Mirabelle no pregunta nada. Se levanta y arrastra el suéter por el pasillo, tambaleándose como si estuviera ebria. Ray no sabe cómo manejarla. Si fuera una mujer práctica, lo haría de forma práctica, pero Mirabelle está en la primera fase: es una cría a la que alguien en quien confiaba le ha cambiado el corazón de sitio. Murmura que anula el viaje a Nueva York del próximo fin de semana. Él la sigue hasta su coche y la observa alejarse. Al día siguiente coge un avión a Seattle.

Ray espera un día, luego la llama en el preciso momento que sabe que estará cruzando la puerta.

–¿Cómo estás?

–Bien –dice ella con un hilo de voz.

–¿Quieres hablar de ello?

–De acuerdo. ¿Puedo llamarte?

–Sí.

Y cuelgan. Mirabelle deja sus cosas, se quita su diáfana cazadora de Gap y bebe un poco de agua. Lleva todo el día como en las nubes. No quiere volver a hablar con él, y sin embargo se alegra de que haya llamado. Necesita hablar con un amigo, un aliado, sobre el desliz que ha cometido, pero él es su único amigo. Va al cuarto de baño y marca el prefijo 206.

–¿Ray?

–Cuelga y te llamo yo –dice él.

–Bueno.

Se trata de un ritual monetario. Cuando ella le pone una conferencia, cuelgan y él la llama para que no tenga que pagar.

–¿Estás mejor? –pregunta él.

–Un poco mejor –responde ella, sin saber lo que quiere decir.

–¿Deberíamos vernos? –pregunta Ray.

–Creo que no. He cambiado mi billete de Nueva York. ¿No te importa? Quiero ir a Vermont a ver a mis padres.

Mirabelle no va a casa de sus padres en busca de consuelo. No hallará compasión en su madre o en su padre, porque difícilmente puede explicarles a ellos la situación, sobre todo cuando su padre es culpable del mismo acto. Pero encontrará consuelo en su habitación, entre sus cosas.

–Claro. Por supuesto –dice Ray.

La conversación continúa a trompicones, y Ray le dice que siente haberle hecho daño. Y es cierto, pero en su interior no sabe qué es lo que podría haber hecho diferente. Está decidido a no querer a Mirabelle; ella no es su igual. Sabe que está utilizándola, pero no puede parar. Y por intenso que siga siendo su deseo mutuo, sus metas opuestas los dejan en un punto muerto, y su relación no ha logrado avanzar, ni siquiera lo necesario para sobrevivir. Farfullan adiós, Ray sabiendo que aún no ha terminado, y Mirabelle incapaz de pensar en nada más que su dolor actual.

Prada

Lisa se enteró de la visita de Mirabelle a Prada. Para Lisa, Prada es la razón de ser de un noviazgo. Su ropa de gusto exquisito no sólo es cara sino identificable. Un vestido de Prada es un vestido de Prada y siempre lo será. Sobre todo un vestido nuevo de Prada. Un vestido nuevo de Prada significa que la ida a la tienda es reciente, que acaba de gastarse dinero fresco, y si Lisa llevara un vestido nuevo de Prada, significaría que ha pescado un buen partido. Demostraría que le ha caído pasta y que su hombre ha empleado suficiente tiempo en ella para haberla escoltado a Beverly Hills y esperado a que ella se probara cada modelo, y luego ha deslizado la tarjeta de crédito sin pensárselo por el mostrador sin comprobar siquiera el precio de la etiqueta.

Lisa se topa cara a cara con el rumor una mañana que ve llegar a Mirabelle con un deslumbrante y favorecedor vestido. Para Lisa, Prada es tan reconocible como su propia madre, y ver a Mirabelle vestida con el perfecto conjunto Prada provoca en ella un profundo gruñido gutural. Llama a una amiga que trabaja en la tienda para obtener toda la exclusiva, y sí, Ray Porter y una señorita desconocida han pasado por allí. En lo único que Lisa puede pensar cuando oye confirmar sus peores temores es en recortarse y arreglarse el pelo púbico. Es un acto ritual de buena disposición, una danza de guerra comparable con los místicos preparativos de un matador antes de la lucha. También lo hace con la convicción de que todo lo que hay de natural en ella debe manipularse hasta alcanzar su estado más hermoso. Pechos, tamaño de los labios, pelo, color de piel, color de labios, dedos y uñas de los pies, todo necesita un retoque.

Está sentada en el inodoro mientras se afeita, con una pierna apoyada en el armario. Sumerge la cuchilla de afeitar en el lavabo cuando necesita mojarla a medida que da forma y peina la abundante mata de vello a la perfección. Está resuelta a apartar a Ray Porter de la equivocación que es Mirabelle. Todo lo que necesita saber es dónde está y qué aspecto tiene. Puede averiguarlo fácilmente confiando en Mirabelle, probablemente durante un almuerzo, de modo que no se preocupa demasiado ni hace planes para confabularse. Después de sumergir por última vez la cuchilla en el lavabo y de arrojar un poco de agua a la zona ahora perfectamente afeitada, se levanta, totalmente desnuda, y se mira en el espejo del cuarto de baño. Su cuerpo es un reloj de arena con toda la arena en la parte superior. Es blanca y rosa, y sus implantes tiran y dan de sí, palideciendo la piel de alrededor de tal modo que le brillan los pechos. Sus pezones son del color de un chicle y la silicona los hace lo bastante resistentes para masticarlos como un chicle, y ahora, entre sus piernas, está la más bonita propiedad del oeste de Texas.

Mirabelle había dicho a sus padres que iba a ir a Nueva York, de modo que cuando los llama para decirles que en lugar de ello va a ir a Vermont, tiene que dar alguna explicación. Pero logra salir del paso, y como sus padres nunca le hacen demasiadas preguntas de todos modos, no son conscientes de que se está cayendo prácticamente a pedazos.

Al llegar a Vermont, Mirabelle pone cara de ganadora de un Oscar. Logra parecer alegre, aunque de vez en cuando se esconde en su habitación para dejar que la melancolía por todo lo que ha perdido con Ray Porter le rezume por los poros. Deambula sin rumbo por la casa y ve en el escritorio de su padre la tarjeta de negocios que ella le dio y que él ha trasladado de su dormitorio de forma significativa. Se pregunta si ha hecho la llamada que ella esperaba que hiciera.

Han transcurrido veintiocho horas de ese horrible fin de semana cuando suena el teléfono y ella contesta. Es Ray Porter, que llama desde Nueva York. Se preguntan con torpeza «¿qué tal estás?», luego, al exponer la razón de su llamada, él suaviza la voz, dando la impresión de estar inclinándose hacia ella. Entona la pregunta con un tono tan contrito que casi los hace llorar a los dos:

–¿Por qué no vienes a Nueva York?

Mirabelle quiere estar allí, a pesar de su dolor, y en su sí no hay vacilación, por mucho que trata de darla a entender. Le ha demostrado que está dolida, y ahora ha terminado. Quiere estar en Nueva York y no en Vermont.

Le dice a su madre que se va.

–¿Para qué demonios?

–Voy a reunirme con Ray.

Sus padres saben que está saliendo con alguien llamado Ray Porter, pero fingen que la relación de su hija es casta. Eso, por supuesto, requiere increíbles manipulaciones de la realidad y enormes bloqueos y ángulos muertos. Mirabelle, para su madre y su padre, no se está acostando con nadie.

–Oh, lo pasarás bien –se limita a decir su madre.

En ese momento, Mirabelle podría haber girado sobre sus talones y no se habría dicho nada más, nunca. Pero han transcurrido 10.319 días desde que nació, y hoy por alguna razón, sólo explicable por el cálculo del estrés de mentir multiplicado por veintiocho años, añade una pequeña verdad:

–Me alojaré con él si necesitáis localizarme.

Catherine continúa frotando la misma fuente durante los siguientes minutos.

–¿En un hotel?

–Sí –dice Mirabelle, y, sólo por si acaso, añade–: pero no te preocupes, estoy tomando la píldora.

–Bueno –dice Catherine–. Bueno –repite.

Frota la fuente, luego, con una modulación de la voz tan cargada de significado que sólo Meryl Streep podría reproducirla más de una vez, añade un último «bueno». Con una perfecta sincronización teatral, su padre cruza la puerta de la cocina y ella le dice lo mismo, sólo para sentir la misma oleada de poder una vez más. Pero no hay ningún clamor; en lugar de ello, todos se callan sus pensamientos revueltos, y Dan se apresura a cambiar de tema, enciende el televisor y éste lo absorbe.

Nueva York

Ese día ella coge un avión y se reúne con Ray en Nueva York al atardecer. No tiene su vestido de Prada consigo, pero su rápido instinto para la ropa prevalece y con una autoritaria barrida a Emporio Armani ayudada por un contrito Ray, que está impaciente por expiar poniendo un fajo de billetes sobre el mostrador, termina envuelta en un deslumbrante vestido plateado de Armani que iguala al de Prada, y esa noche se encaminan a una cena para mil quinientos comensales.

Después del acto, en el que se la ve escultural y elegante, donde los flashes de unos cuantos fotógrafos se disparan cuando entran a pesar de su estatus de personas no célebres, donde es un gran desafío para ella estar sentada a una mesa de doce comensales entre cientos de mesas, y donde está tan cautivada de estar allí que se le pasa por alto lo aburrido que es, terminan en un pequeño cóctel para una docena de personas en un elegante apartamento de Park Avenue. El grupo se congrega en una biblioteca con paneles de madera donde varios Picassos bajan la vista burlones hacia ellos; hay hombres de pelo blanco mayores que Ray; hay jóvenes promesas agresivos y con dientes afilados que acaban de entrar en la treintena. También hay hombres de negocios duros cuya sexualidad ha sido de alguna manera embalada y guardada en algún cajón para luego, como un pensamiento tardío, volver a sacarla y lucirla como una corbata de ejecutivo.

Forman un grupo de personas inteligentes y de mente ágil, pero no están seguros de qué pensar de Mirabelle, que está sentada entre ellos como una flor. Es la única que lleva algo más pálido que azul oscuro. A diferencia de ellos, su piel blanca es un don, y no el resultado de un blanqueamiento bajo neón un día entero. Mirabelle habla en voz baja y sólo *tête-à-tête*. Cuando alguien le pregunta por fin a qué se dedica, responde que es artista. Eso lleva a una discusión entre los aficionados sobre los precios del arte actual que excluye a Mirabelle del resto de la conversación.

A medida que la velada se relaja, desbaratando el progreso normal de una fiesta, la conversación se funde en una sola, y el tema, en lugar de saltar frenéticamente de política a colegios para niños y los últimos tratamientos médicos, se funde también en uno solo. Y el tema es mentir. Todos admiten que sin mentiras no podrían llevar a cabo su trabajo diario. De hecho, dice alguien, mentir es algo tan fundamental en su existencia que ha dejado de ser mentir y se ha transformado como por encanto en una variante de la verdad. Sin embargo, varios de ellos admiten que nunca mienten, y todos los presentes saben que es porque se han vuelto tan ricos que mentir se ha vuelto innecesario e inútil. Su riqueza los aísla hasta de los pleitos.

Todos los puntos de vista son debidamente expuestos sin que salga nada nuevo, con movimientos afirmativos de cabeza, incisos y superposiciones. Este rápido intercambio tiene los visos de una conversación interesante, pero una cuyo verdadero contenido es monótono, aburrido y ebrio. Esto es, hasta que interviene Mirabelle. Mirabelle, sobria como un ángel, irrumpe sin miedo en mitad de la charla.

–Creo que para que una mentira sea efectiva, debe tener tres cualidades esenciales.

Las voces resonantes de los hombres se apagan y las voces de tiple de las mujeres dejan de oírse. En su fuero interno Ray Porter se inquieta.

–¿Y cuáles son? –pregunta una voz.

–En primer lugar, debe ser verdad en parte. Segundo, debe suscitar la compasión del oyente, y tercero, debe ser embarazoso de decir –dice Mirabelle.

–Continúa –dan a entender los presentes.

–Debe de ser verdad en parte para que sea verosímil. Si suscitas compasión tienes muchas más probabilidades de obtener lo que quieres, y si es embarazoso decirlo, es menos probable que se cuestione.

Como ejemplo, Mirabelle expone la mentira que dijo al señor Agasa. Explica que la verdad en parte es que a veces es cierto que tiene que ir al médico. Luego logró que la compadeciera porque estaba sufriendo, y finalmente se avergonzó al tener que explicar que era un problema ginecológico.

Las mentes ágiles de la habitación abren sus archivos cerebrales y guardan ese análisis para utilizarlo en el futuro. A Ray Porter, entretanto, se le aparta momentáneamente un centímetro del eje y por primera vez en casi un año se pregunta si no es él, sino Mirabelle, quien está determinando la naturaleza y el carácter exacto de su relación.

No hacen el amor esa noche, ni durante un tiempo, pero al cabo de un mes todo se reanuda, y la carta con su oscura información es mencionada sólo una vez más: Mirabelle le dice a Ray que si vuelve a ocurrir algo parecido, es mejor que no se lo diga. Pero la base arenosa de su relación ha sido erosionada. Ha sido erosionada al mencionar lo inmencionable: su acuerdo tácito de no hablar de la devoción o dedicación de Ray se ha roto.

Mirabelle ya no sabe qué pensar de su relación con el señor Ray Porter. Ya no se pregunta sobre ella; se limita a habitar en ella. Ray sigue viéndola y haciéndole el amor, y su erótico interés no se agota, ni una sola feromona. Liquida la deuda de la tarjeta de crédito de ella, que ha ascendido a más de doce mil dólares. Meses después liquida su crédito de estudiante que ella paga poco a poco y que no hace mucho ha superado los cuarenta mil dólares. Cambia la destartalada furgoneta de ella por una nueva. Esos regalos, aunque no lo sabe, se los da para que ella se sienta bien cuando la deje.

Continúa en otra parte su búsqueda de un amor adecuado con alguna que otra cita, viaje y flirteo, pero Mirabelle sigue importándole de un modo que no es capaz de explicar. Su amor por ella no es el amor loco que espera sentir, la acelerada y delirante rapsodia que se ha prometido a sí mismo. Ese amor es de otra clase, y busca mentalmente una definición. Mientras tanto, tiene el convencimiento de que su relación con Mirabelle puede continuar sin interrupciones hasta que se presente la mujer adecuada, entonces le explicará con calma la situación y ella verá claramente lo bien que él lo ha manejado todo, le deseará todo lo mejor y lo felicitará por su prudente racionamiento.

Los Ángeles

–Tomaré un perrito caliente –dice Mirabelle.

Hay que decir que no se trata de un perrito caliente corriente, sino un perrito caliente de Beverly Hills con ninguno de los incalificables ingredientes de un perrito caliente de feria. De modo que no está violando la pureza de la tierna sangre que fluye bajo su piel húmeda. Lisa, en cambio, pide una ensalada que cumple su visión personal de las dos cualidades principales de la comida de régimen: ser visualmente poco atractiva y no saber a nada. No ha aceptado que ciertos alimentos, perfectamente bajos en calorías, pueden ser ricos. Se reserva pedir comida normal, comida que podría no ser tan dietética, para esas ocasiones en que la observa un hombre, esperando dar la impresión de ser una lima que no engorda por mucho que devore. He aquí la importancia de salir con hombres para Lisa: sin ello se marchitaría, apenas capaz de levantar una cuchara de zanahorias troceadas.

Lisa y Mirabelle están sentadas fuera como siempre, bajo el sol de California un perfecto día de julio de dieciocho grados.

–¿Qué tal tu vida sentimental?

Lisa sabe que lo que quiere saber en realidad está a veinte preguntas de distancia en su lista, y que es mejor empezar pronto a dar vueltas al tema.

–Bien.

–Él no vive aquí, ¿verdad?

–Vive en Seattle.

–Debe de ser duro.

–No está mal, nos vemos una o dos veces a la semana, a veces más, otras menos.

Entonces Mirabelle, ajena a los trasfondos y creyendo que a Lisa puede interesarle algo que no sea Rodeo Drive, dice:

–¿Has oído hablar de *Ídolos de la perversidad*?

Esa pregunta atraviesa a Lisa como un rayo cósmico: sin ningún efecto. Mirabelle a continuación hace un ingenioso y sagaz análisis de su libro favorito mientras Lisa sobrelleva su falta de interés mirándole fijamente la cara y soñando con maquillarla. Cuando a Mirabelle se le acaba la cuerda y la hora del almuerzo se diluye en el reino de almuerzos perdidos, Lisa insiste:

–¿Cuándo vas a volver a verlo...?

Mirabelle nunca desvelaría ninguna información personal sobre Ray Porter, ni siquiera su nombre, aunque en este caso la informada Lisa ya lo sabe. Pero en su emoción le dice a Lisa que lo verá la semana que viene.

–Vamos a ir a la inauguración de Ruscha en la Reynaldo Gallery.

Mirabelle asume que Lisa estará allí, ya que nadie que frecuenta la Reynaldo Gallery se perdería el próximo acto. En un instante de claridad, Lisa se ve a sí misma arrancando a Ray a Mirabelle y, echándole un solo lazo, haciéndolo totalmente suyo.

Colapso

La búsqueda de Ray Porter de la mujer adecuada no prospera porque vive en la ciudad eterna equivocada. Sigue afincado en la ciudad de su juventud, donde las mujeres de veintitantos años retozan como conejos, hablan con voz de pito, lo engatusan y lo asustan. Sigue creyendo que allí encontrará a una intelectual de piel de porcelana que lo deslumbrará con una risa fuerte y una gran vitalidad.

En su subconsciente se está construyendo un puente. El puente se extiende desde esa ciudad eterna hasta otra ciudad eterna muy diferente. Esta nueva ciudad es donde habitará su verdadero corazón, un corazón que lleva la marca de la experiencia, que sabe cómo y a quién amar. Pero para terminar el puente debe pasar por varias experiencias intensas y dolorosas, y en ese momento está sentado en su casa de Seattle con una mujer, sin tener ni idea que no le interesa.

Christie Richards tiene treinta y cinco años y es diseñadora de moda de cierto renombre local. Tiene un cuerpo provocativo que, en el momento astrológico adecuado y con la dosis exacta de Cabernet, puede despertar en Ray el recuerdo de conquistas adolescentes en el asiento trasero del coche. Y mientras Christie está sentada frente a él en una cena para dos que ha preparado y traído a la mesa iluminada por las velas un chef casi invisible, todos los ingredientes esenciales de la lujuria convergen en él. Mientras hace girar el cuerpo con la imaginación para verlo desde todos los ángulos, Christie habla ininterrumpidamente sobre la moda en Seattle.

–... pero quiero escaparates, porque sin escaparates eres diseñadora de percha. Tengo un diseño para mujeres con sobrepeso que se vende bien, pero ninguna tienda va a poner en su escaparate un diseño para mujeres con sobrepeso, quieren esconderlos en el sótano...

Y sigue hablando sin parar, a veces mencionando una firma de moda reconocible mientras sigue bebiendo y llenando las copas, bebiendo y llenando las copas, hasta que apura por fin el Cabernet, y Ray, ocultando su entusiasmo por embriagarla, abre otra botella y le llena la copa.

Pero al final de la cena Christie empieza a vocalizar mal, muy mal, y Ray empieza a preguntarse si tal vez le ha servido demasiadas copas. La lleva fuera para tomar un poco de aire de Seattle refrigerado, que cree que le sentará bien. A ella le sienta bien, pero no a él, ya que ahora, vigorizada por el oxígeno, ella está dispuesta a renunciar a las caricias estimulantes previas al acto sexual, que Ray necesita desesperadamente en ese momento si va a hacer lo que tiene que hacer un hombre.

Ella entonces lo lleva a rastras al dormitorio, en el que ha estado antes, pero sólo en una visita guiada de cortesía. Las luces ya están tenues, y ella se arrodilla ante él y le estira el cinturón con las palabras:

–Voy a chuparte la polla.

«Bueno, de acuerdo», piensa Ray. Christie se pelea sin éxito con el ganchito increíblemente fácil de desabrochar de sus pantalones, luego se cae de bruces con un ruido amortiguado. En su alfombra de color trigo, ella parece una versión ebria de *El mundo de Christina* de Andrew Wyeth, sólo que en lugar de la mirada de anhelo hacia la casa, está tratando de fijar la vista en algo que no se mueva. Acerca la cara a un palmo de la pata de la cama y bizquea animosamente, esperando fundir las imágenes que se arremolinan en una sola.

Ray sabe que está en el lugar equivocado en el momento inoportuno, pese a estar en su casa. Sabe que no debería estar haciendo eso, sabe que los días de esas mujeres entre paréntesis que aparecen en la frase de su vida están tocando a su fin. La ayuda a levantarse y la conduce por el pasillo hasta la sala de estar, donde la sienta en el sofá, colocándole almohadones debajo de los brazos para que no se caiga hacia delante. La mira a los ojos y pregunta con torpeza:

–¿Puedes conducir?

En realidad no lo dice para averiguar si puede conducir, sino para hacerle saber que es el momento de irse a casa. Ella, que conoce sus límites, sacude la cabeza, pero Ray no está seguro de si quiere decir no o si ya no puede sostener erguida la cabeza.

Ray puede acompañarla en coche a su casa, pero está el problema del coche. Ella tiene el coche aparcado fuera, y si la lleva en coche a su casa, a la mañana siguiente estará el quebradero de cabeza de coger un taxi y buscar una hora para quedar.

–Puedes quedarte en la habitación de huéspedes.

Uno de los párpados de Christie cae perezosamente.

–Quiero dormir contigo.

A Ray no le divierte. Dice con firmeza que no y la lleva a la habitación de invitados. Ella, aturdida, ve cómo se cierra la puerta. Luego se vuelve, ve la cama y se cae de bruces.

Ray Porter se desliza en sus sábanas de mil dólares como si entrara en el paraíso. Está solo y contento de estarlo, pero le preocupa que Christie se abra paso a tientas por el pasillo y lo encuentre. Sus cálculos habitualmente rápidos se detienen, y a través del túnel de sus pensamientos se abren paso grandes y espesas preguntas: ¿Cuánto va a durar esto? ¿Por qué estoy solo?

Ray está dormido y soñando con que llaman a la puerta. ¿La puerta? Se despierta en la tercera fase del sueño, la más profunda, tan grogui que sólo le funciona uno de sus sentidos: el oído. Se queda tumbado, preguntándose si ha entrado un ladrón en la casa. Se levanta de la cama con esfuerzo y recorre el pasillo, valiente sólo porque calcula rápidamente que las posibilidades de que se trate realmente de un ladrón son escasas. Alcanza a oír un ruido a lo lejos... ¿Viene de la calle? Hay unas obras cerca; ¿es posible que estén trabajando a las tres de la madrugada? Vuelve a oírlo, pero esta vez se da cuenta de que es alguien que llama a su puerta.

Abre la puerta y allí está Christie, totalmente vestida salvo por los zapatos.

–Mis zapatos están en tu jardín trasero.

La única explicación lógica es tan ilógica que él no pregunta qué ha pasado. Seguramente ha salido al jardín, se ha quitado los zapatos, ha decidido marcharse, se ha ido de la casa dejándose las llaves del coche y se ha visto obligada a llamar a la puerta antes que dormir fuera, o algo parecido. Él va a buscar los zapatos, abriga a Christie, que no va vestida de forma apropiada para el frío de la noche, la sube a su coche y la acompaña los casi dieciocho kilómetros hasta su casa.

Al día siguiente le envía un ramo de flores.

Mirabelle se pone un suéter de rombos rosa y unos pantalones cortos a cuadros escoceses color pastel para la inauguración de Ruscha a las cinco de la tarde, y cuando saca su coche del aparcamiento cubierto de Beverly Hills, parece un arco iris refractado en el agua rociada por un aspersor de césped. En el otro extremo del aparcamiento, un hombre cierra con llave la portezuela de un coche y echa a andar. De perfil, guarda un papel en su cartera. Lleva un traje entallado por la cintura y el pelo le cae sobre la frente. Se aleja, pero los últimos rayos amarillos de sol que entran en el garaje iluminan a Mirabelle y atrae su mirada.

Entonces dice:

–¿Mirabelle?

Mirabelle se detiene.

–¿Sí?

–Soy yo, Jeremy.

Se acerca a ella en diagonal, con la luz proyectándose ahora sobre su cara, y ella lo ve por fin. Aunque es la misma persona, ese nuevo Jeremy no tiene nada que ver con el de antes. Tres Jeremys de antes equivaldrían a un nuevo Jeremy, ya que el nuevo Jeremy es un modelo mejor y más robusto, con muchos rasgos deseables.

–Me alegro de volver a verte –dice.

«¿Me alegro de volver a verte? –piensa Mirabelle–. ¿De qué está hablando?» Ésa no es la jerga de Jeremy. ¿Se supone que debe responder: «Me alegro de volver a verte»? No es particularmente agradable volver a verlo, aunque tampoco es desagradable, y se siente intrigada por él. Pero antes de que decida qué hacer, Jeremy se desabrocha con naturalidad un botón del traje, se inclina hacia delante y le saluda al estilo continental con un beso en cada mejilla.

–¿Vas a la inauguración?

–Sí –responde Mirabelle.

–No sabía si volvería a la ciudad antes de que la quitaran, de modo que he decidido verla esta noche. ¿Podemos ir juntos?

Mirabelle asiente, examinando los elegantes zapatos de cuero de Jeremy y la perfecta caída de las perneras de sus pantalones. Se pregunta qué ha ocurrido.

Lo que ha ocurrido es lo siguiente. Los tres meses que Jeremy debía estar de gira, que se han alargado a un año de múltiples viajes al Este, no sólo han sido un éxito financiero, relativamente, sino que han supuesto un éxito de otra clase: Jeremy ha evolucionado de mono a hombre. Después de viajar un par de semanas con Age le invitaron a quedarse con ellos en su autocar. Después de un concierto, el autocar salía hacia la una de la madrugada para recorrer los casi quinientos kilómetros hasta el siguiente destino. Normalmente, la gente del autocar se quedaba levantada un par de horas y luego se retiraba a sus compartimentos individuales con las cortinas echadas que recordaban los de un tren de los años cuarenta, sin Ingrid Bergman. En cada cama había unos auriculares conectados a un sistema de sonido central. Uno de los miembros de Age era budista, lo bastante nuevo en la disciplina para acostarse cada noche oyendo audiocintas de libros sobre budismo y meditación. Jeremy se sintonizaba porque estaba aburrido. Al principio, le horrorizó escuchar cintas de palabras habladas y campanillas, pero después de que una meditación en particular le provocara una visión surrealista en la que recorría su habitación a los cuatro años, esa rutina nocturna se convirtió en el punto álgido de la noche, y empezó a escuchar, y a escuchar con atención. Pero, aún más importante, a medida que las cintas sobre budismo disminuían, en las librerías de centros comerciales se compraban otras nuevas de los mismos estantes que habían abastecido el ahora exhausto suministro de cintas budistas, y Jeremy se vio de pronto sintonizado con todo el canon actual de autoayuda.

Esos libros, escuchados en la hipnótica y vibrante oscuridad de su compartimento individual del Greyhound, instruyeron a Jeremy sobre el Ego, interior y exterior, sobre arquetipos jungianos, sobre el viaje masculino y los ritos de iniciación, el cuidado del alma y el sexo tántrico. Se empapó de libros sobre relaciones, empezando por *Los hombres vienen de Marte*... y terminando con una parodia titulada *Amar a alguien más necio que tú* (Jeremy se identificaba con el «tú» y no con el «más necio»). A medida que el autocar cruzaba Kansas, Nebraska, Oklahoma y Nevada, bajo un millón de estrellas no atenuadas por las luces de la ciudad, dejó que naciera su conciencia y su vida, por lo tanto, cambió, de forma fortuita.

Cruzan Santa Monica Boulevard y Jeremy le explica el éxito de su negocio y que ha vuelto a Los Ángeles para buscar un local más grande para montar la fábrica de Amplificadores Doggone. Mientras camina a su lado, le coge la mano y dice:

–Estás guapísima, realmente guapísima.

Esto es lo que ve Lisa cuando los reconoce a cincuenta metros desde el otro extremo de la Reynaldo Gallery: un hombre con un traje nuevo de corte impecable sosteniendo la mano de Mirabelle mientras se acercan por Bedford Drive. Y asume que Jeremy es el señor Ray Porter.

–¿Estás sola? –pregunta Jeremy a Mirabelle.

–He quedado con alguien.

–Viajar me ha dejado sin amigos en Los Ángeles –dice Jeremy mientras le sostiene la puerta abierta para que entre.

Lisa se desliza detrás de ellos y se convierte estadísticamente en la única mujer de la fiesta ya concurrida con el coño perfumado de lavanda.

Las cinco de la tarde es temprano para una fiesta, pero no en Los Ángeles, donde lo normal es despertarse a las siete de la mañana. La gente suele cenar a las siete y media en punto, lo que es perfecto para un neoyorquino que llega con *jet-lag* y se encuentra cenando a las diez y media de su hora. De modo que la fiesta sólo está empezando a llenarse, y muchas de las caras familiares ya han llegado. El Artista/Héroe está allí, esta vez acompañado, pero se acuerda de Mirabelle y se acerca a saludarla. Jeremy se separa de ella para ir a la barra y pedirse una bebida favorita recién descubierta: agua con soda, zumo de arándano y vodka. Lisa lo ve como su oportunidad y se desliza a su lado en la barra, le oye pedir y pide lo mismo. Espera hasta que traen las bebidas, luego acerca mucho a él su aromático coño.

–Dios, nunca he visto a nadie más pedir uno de éstos –dice.

Y se lanza. Se ríe de todo lo que dice Jeremy, lo que no es fácil porque Jeremy no es una persona graciosa por naturaleza. Pero sabe que encontrarlo gracioso es esencial para conquistarlo, y se encuentra a sí misma riéndose de sus afirmaciones más inofensivas, incluyendo varios comentarios sobre la situación política actual. Cuando se da cuenta de que los comentarios son serios, tiene que ocultar una sonrisa a medio formar y se apresura a torcer el resto en su versión de profunda concentración. El asalto continúa, engatusándolo, clavándole varias veces el dedo en el costado, sumergiendo con coquetería la lengua en la copa. Luego mira hacia Mirabelle y comenta lo insultante que debe de ser para Jeremy verla ligar con otro tío cuando el que ha venido con ella es tan atractivo.

–Tengo un secreto –añade–. Sé quién eres. Soy Lisa, por cierto.

Dado que todos vivimos en nuestro propio mundo, Jeremy asume que ha llegado a la costa el rumor sobre sus hazañas y éxitos con los amplificadores. Le encanta que una atractiva pelirroja haya sido informada de su hábil iniciativa empresarial, de modo que cuando ella le pregunta si quiere quedar luego para tomar algo, él mira hacia Mirabelle –lo que refuerza la asunción errónea de Lisa–, lamentando inesperadamente que no sea ella quien se lo ha pedido. Pero echa un vistazo de reconocimiento a Lisa y dice que sí.

Lisa ríe y flirtea con él otra media hora, luego apuesta fuerte.

–¿Puedes irte ahora? –pregunta.

–Sí, claro.

–¿Qué hay de Mirabelle? –dice, fingiendo preocupación por otra persona.

–Hago lo que quiero –responde Jeremy, sin ocurrírsele mencionar que no son pareja.

Ese comentario libera un torrente de estrógeno en el flujo sanguíneo de Lisa y le hace soñar con sexo, hijos y una casa en el valle.

Jeremy no comprende la agresividad de Lisa, pero no le hace falta. Tampoco le hace falta a su conciencia tan recientemente elevada. Es imposible que las aguas tranquilas en las que tan serenamente flota su cerebro puedan calmar también dos testículos de un hombre de veintisiete años sin pareja.

–Deja que le diga adiós.

Lisa casi se siente avergonzada, pero no del todo.

–Está bien, pero te espero fuera.

En el apartamento de Lisa, vaciado de compañeras mediante previo acuerdo, Jeremy recibe una demostración completa de sus habilidades. Ella le muestra el Kama Sutra ilustrado de Lisa Cramer, esteticista de primer orden, con notas adicionales obtenidas de una docena de libros sobre cómo follar, dos psicólogos de radio, los cotilleos de dos novias con una apetito sexual muy alto, artículos de *Cosmo* y un asombroso instinto para despertar el interés superficial de un hombre. Lo desnuda despacio y se desnuda para él, le hace levitar con orgías orales, lo masajea y juguetea con él, le hace recostar y lo masturba, y finalmente lo deja exhausto con una eyaculación cósmica mientras ella respira hondo y salmodia. Después, la convicción de Lisa de que acaba de hacer volar por los aires a Ray Porter se ve reforzada cuando le pregunta si es mejor que Mirabelle, y Jeremy, que no tiene ni idea de que no es Ray Porter, no tiene otra alternativa que asentir. Después de un período obligado pero breve de abrazos, sale de su apartamento, y las últimas palabras de Lisa son:

–Llámame.

Mientras Lisa cree estar prodigando sus atenciones a Ray Porter, éste llega a la fiesta de la galería, recoge a Mirabelle y la lleva a cenar, donde se reafirma su conocida e infinita lujuria. Al acompañarla en coche a su casa, introduce una mano por debajo del cinturón de seguridad y la desliza dentro de su suéter, donde siente la esponjosa resistencia de sus pechos. En su casa, están destinados a hacer el amor, pero en lugar de ello empieza una conversación. Una conversación moral y dolorosa que empieza cuando Ray Porter reafirma despreocupadamente su independencia, hablándole como a un amigo enterado, como si ella sólo fuera su cómplice en su búsqueda de alguien más.

–Estaba pensando en venderme esta casa y comprar un apartamento en Nueva York. Me encanta. Cada vez que aterrizo allí me entra un subidón. Un amigo se quiere vender una casa de cuatro habitaciones, lo bastante grande si algún día conozco a alguien.

Lo dice, y hay un mensaje implícito, pero su crueldad no es intencionada.

Mirabelle se cansa. El discurso, pronunciado como si se tratara de una acotación, la vacía de ímpetu. Los brazos le cuelgan a los costados, y se deja caer en una silla. Lo sabe, lo sabe todo de antemano, ya lo ha oído. ¿Por qué tiene él que repetirlo? ¿Para recordarle que ella no significa nada?

Levanta la mirada hacia él y le pregunta algo horrible:

–¿Entonces sólo estás haciendo tiempo conmigo?

La respuesta es atroz y Ray se la calla. No dice nada, se limita a quedarse sentado a su lado. La mente de Mirabelle se ennegrece. La negrura no es un pensamiento, pero si pudiera convertirse en un pensamiento, si fuera posible echar sobre ella con un cuentagotas una sustancia química que hiciera visibles su color y su esencia, tomaría la forma de esta frase: «¿Por qué nadie me quiere?»

Él la atrae hacia sí, le deja apoyar la frente en su hombro. Sabe que la quiere, pero no comprende de qué modo.

De manera que ella se queda allí, clavándole sus uñas cortas, tratando de aferrarse a algo que la mantenga unida, que le impida salir volando en todas direcciones. Mientras lo aferra, siente cómo se hunde en un mar oscuro y frío, y no parece haber una salida, nunca. La proximidad del hombre que ella ha identificado como su salvación sólo lo empeora. Él la lleva a la cama y ella yace boca abajo sobre la colcha mientras él le pone una mano en la parte inferior de la espalda, acariciándola de vez en cuando. Le dice que es guapa, pero Mirabelle no puede conjugar ese pensamiento y el rechazo de él.

A la mañana siguiente, Lisa contesta el teléfono.

–Hola. Soy Jeremy.

–¿Quién? –dice Lisa.

–Jeremy.

–¿Te conozco? –pregunta Lisa.

–¿Cuándo conoces realmente a alguien? –bromea Jeremy. Cuando ella no se ríe, añade–: Jeremy, el de anoche.

Lisa repasa la lista de hombres con los que habló la noche anterior. Ninguno se llamaba Jeremy, aunque a veces los hombres la localizan y la llaman porque creen que han hecho contacto visual con ella cuando en realidad no lo han hecho.

–Refréscame la memoria –dice.

Jeremy se queda mudo ante la posibilidad de que todas sus hazañas, todas sus embestidas hayan podido ser olvidadas tan rápidamente.

–Yo, Jeremy. Estuve en tu casa anoche –continúa–. Lo hicimos.

Lisa lo entiende mal.

–¡Oh, Ray!

Cuando Jeremy oye: «Oh, Ray», cree que es jerga estudiantil, o argot infantil, o una expresión moderna de satisfacción que se le ha pasado por alto.

De modo que responde:

–¡O, ray!

–Dios, estuviste genial anoche –ofrece Lisa.

–O ray –dice Jeremy.

–¿Qué?

Jeremy, inmerso en una conversación que no sabe seguir, acaba preguntando:

–¿Sabes quién soy?

–Claro, eres Ray Porter.

–¿Quién? –pregunta Jeremy.

–Ray Porter, el de anoche.

–¿Quién es Ray Porter?

–Tú... –Luego ella añade–: ¿no?

Por la mañana, después de la agonía de la noche, Ray acompaña a Mirabelle hasta su coche, a tiempo para que vaya a trabajar a las diez. La ve alejarse rígidamente, demasiado bien vestida para la mañana, acarreando su angustia sola. Se pregunta si es la última vez que la ve.

Ella se pone sus gafas para conducir y arranca su Explorer nuevo. Dice adiós con un débil ademán a Ray, quien advierte su diligente concentración mientras se aleja en coche.

Ella entra en Neiman's, pasa por delante de la deshonrada Lisa, sube los cuatro tramos de escaleras y se desliza en su hueco detrás del mostrador. Se queda allí el resto del día, sintiéndose de nuevo aturdida por un mundo inexplicable, sus movimientos restringidos a los que ha memorizado su cuerpo.

La relación de Ray y Mirabelle no se derrumba ese día: languidece sutilmente a lo largo de los próximos seis meses. Hay altibajos, pero todos pueden trazarse en una pendiente hacia abajo. Él la invita a cenar, la acompaña a casa, le da un abrazo de buenas noches. A veces, ella le dice que es un hombre maravilloso y él la estrecha en sus brazos. Ella acepta salir con un representante de equipo deportivo, pero no es capaz de ofrecerle ni lo poco que se requiere para mantenerlo interesado. Ray al final comprende que no le está dando nada a Mirabelle, y que tiene que pensar por los dos y separarse de ella. Se retira, y ella, de forma refleja, para protegerse, hace lo mismo. Por un tiempo cree que llegará el día que él se rendirá y se permitirá quererla, pero acaba desprendiéndose de esa idea. Toca fondo. Durante varios meses se regodea en la miseria, no exactamente deprimida, sino envuelta en un desconsuelo que al principio cree que se debe a Ray, pero que no tarda en darse cuenta de que es porque nunca volverá a ser la que era.

Está tumbada en la cama, el día ha dado paso a la noche sin que ella se levante siquiera pare encender una lámpara. Enciende una vela en su habitación a oscuras y deja que su delicada iluminación la sostenga. Fuera, los ruidos de los apartamentos de alrededor pasan de la cena a la televisión y finalmente al silencio. Su depresión ha consumido toda su energía. Está exhausta de no hacer nada para curarse. Mientras la oscuridad y la soledad la rodean, se abandona a una comunicación con su yo más inteligente. Reconoce que sus días de universitaria han quedado atrás, que su incursión en Los Ángeles era transitoria y que Ray es una causa perdida.

Es por la mañana y el teléfono de Ray Porter suena.

–Hola, soy yo –dice Mirabelle.

–Cuelga, ya te llamo yo.

–No, no te preocupes –dice ella–. A que no lo adivinas. Me mudo.

Hay una animación en su voz que Ray no está acostumbrado a oír.

–¿De tu apartamento? –pregunta Ray.

–A San Francisco.

Sigue una breve discusión sobre por qué ha escogido San Francisco, que es muy poco reveladora, y no hablan sobre si es acertado o no mudarse, ya que la determinación de Mirabelle es clara y contundente. Hace una pequeña petición a Ray que él satisface: Mirabelle utiliza la larga cadena de contactos de Ray para conseguir una entrevista con una galería en San Francisco, no para exponer en la galería, sino para trabajar de recepcionista. En el viejo ordenador de Del Rey consigue un apartamento por Internet y también se pone en contacto con dos compañeras de piso en potencia. En menos de tres semanas se va de Neiman's, dice adiós en un susurro a Los Ángeles sin mirar atrás, y se instala en un pequeño piso del barrio Presidio cerca del Golden Gate Bridge. A Ray le sorprende su repentino dinamismo, ya que había parecido paralizada.

Mirabelle sigue pasando estrecheces, y Ray financia su mudanza y alivia una situación que, aun con su ayuda, reduce su cuenta bancaria a una larga ristra de ceros, póngase la coma donde se quiera. Su nuevo empleo como recepcionista recrea la clase de tedio que aguantó en la sección de guantes, pero al menos puede deambular. Y la media de edad de la clientela es de veinte años menos.

Otra ventaja: el mundillo artístico de San Francisco es más animado que el intermitente de Los Ángeles. Cada tres noches hay algo en alguna parte, y ella puede ir, o bien pasar y acurrucarse en su cama. El movimiento de la galería la pone en medio de una superabundancia de testosterona. Mirabelle es una virgen relativa y en su punto, y su vida sentimental empieza mal. En una inauguración de arte conoce a un artista llamado Carlo que la corteja un mes, folla con ella varias veces y la deja cruelmente; ella lo llama por teléfono, y él le dice que está hablando por la otra línea y que la llamará, pero nunca lo hace. Nunca. Ella resume y explica este suceso diciéndose, no que nadie la quiere una vez más, sino que ha aprendido algo de sus propias decisiones. Ha aprendido que su cuerpo es valiosísimo y que no debe ofrecerlo nunca más a la ligera, ya que tiene una conexión directa con su corazón. Se rodea de una coraza de cautela y aprende a no dar más de lo que le dan. El pequeño desastre de este breve idilio logra algo más: Mirabelle es capaz de desviar su cólera de Ray a Carlo, y Ray es capaz entonces de convertirse en un amigo.

Mientras se adapta a San Francisco, el espíritu de Mirabelle se eleva y cae, pero está resuelta a mostrarse positiva. Ray se mantiene en contacto por teléfono y le envía pequeños talones cuando percibe apuros en su voz. Mirabelle ha renunciado hace tiempo a su instinto de negar la ayuda, ya que no tiene otra elección que aceptarla, lo que hace con sincera humildad y elegancia. También continúa dedicando tiempo a su afición artística con firme diligencia, y sus dibujos son aceptados en varias exposiciones colectivas. El pequeño dibujo, de apenas cincuenta centímetros cuadrados, de ella tumbada desnuda flotando en el espacio es expuesto como parte de la colección del señor Ray Porter.

En su nuevo empleo Mirabelle conoce a artistas y a coleccionistas. Siempre tiene cuidado de no promocionarse a través de los contactos de la galería –su sentido de la ética se lo impide–, pero disfruta siendo una persona relevante en las inauguraciones. Llama a menudo a Ray, quien la llama inmediatamente, según lo acordado. Una tarde anuncia:

–Me voy a una inauguración y mi objetivo es no pasar desapercibida.

Hacia el final de cada semana ha reunido unas cuantas anécdotas que contarle: salidas nocturnas, quién le ha tirado los tejos, quién le ha hecho un desaire. También controla las esporádicas idas y venidas del vilipendiado Carlo, quien aparece en una inauguración con una novia embarazada del brazo, haciendo que la frágil Mirabelle se sulfure. Trata de vengarse de él a través de una guerra psicológica pero no puede, porque a él no le importa.

La estancia de Mirabelle en San Francisco se alarga varias estaciones. Disminuye la frecuencia de sus llamadas a Ray Porter. Tiene unos pocos coqueteos, conversaciones en realidad, que no llegan a gran cosa. Pero una noche sube las escaleras de su nuevo piso y ve en el felpudo una pequeña caja rectangular mal envuelta con una gran tarjeta de Hallmark pegada con celo. Una vez dentro del apartamento, deja la caja en la mesa de la cocina. Da de comer a los gatos, luego despega los extremos del envoltorio y encuentra una pequeña caja blanca, y dentro, un reloj Swatch bastante bonito. Abre la nota y lee: «Me gustaría cenar contigo. Jeremy.» Y garabateada debajo está la implicación normalmente tácita: «¡invito yo!».

Jeremy ha estado trabajando por la Costa Oeste los pasados seis meses, durante los cuales ha dado un desproporcionado salto psíquico de seis años al verter en su cerebro todo el contenido de la librería Bodhi Tree. Ha estado yendo y viniendo a San Francisco desde que se dedicó a viajar, y ahora, preparado para afincarse en Los Ángeles y convertirse en un pequeño lord de los amplificadores, se encuentra con que tiene que ir a Oakland cada semana por motivos de trabajo. De vez en cuando la imagen de Mirabelle se cuela en su mente y se queda allí. La imagen que ve no es la de sus primeras citas patéticas con ella sino la de su encuentro en el aparcamiento la noche de la fiesta de la galería de arte. Porque hasta entonces no había madurado lo bastante para verla como una criatura bonita que valía la pena tener como objeto de verdadero deseo. No la ha encontrado al llamarla al viejo número, de modo que ha consultado un directorio de Internet para averiguar su nueva dirección.

Mirabelle lo llama al número garabateado en la nota. Sus recuerdos de la torpe noche en su apartamento también han sido diluidos por el breve trayecto con él hasta la Reynaldo Gallery, hace casi un año. Quedan para dentro de varias semanas. Cuando llega el día, él aparece en un taxi y, desde la ventana, Mirabelle le ve dar al taxista una propina generosa de varios billetes. Caminan hasta un restaurante cercano donde, cuando se acerca el encargado, Jeremy anuncia:

–Una mesa para dos, a nombre del señor Kraft.

Mirabelle no se acordaba de que su apellido es

Kraft, pero es consciente de que es el segundo hombre en su vida que la ha llevado a un restaurante donde ha reservado una mesa para ellos.

Mirabelle es la que habla casi todo el tiempo, y Jeremy la escucha con atención sin decir gran cosa. Más tarde ella recordará la cena como la primera vez que encontró a Jeremy muy interesante.

Al volver andando a casa, mientras entran en calor y rompen el hielo entre ellos, Mirabelle recita la letanía de sus razones para mudarse, callándose la principal, y concluye:

–Me estoy recomponiendo.

–Yo también me estoy recomponiendo –dice Jeremy.

Y saben que siempre tendrán de qué hablar.

Mientras Jeremy sale con Mirabelle y hace diminutos avances dentro de ella, Ray sigue viéndola de vez en cuando. En un acto de autoconservación ella deja de hacer el amor con él, y como a él por fin le importa Mirabelle plenamente, no lo intenta.

Mirabelle tarda meses en aceptar a Jeremy, y Jeremy espera con paciencia. Y mientras espera, sus sentimientos por Mirabelle aumentan. Una noche ella grita en sus brazos cuando un recuerdo de Ray coquetea con su memoria, y él la abraza y no dice nada. De dónde sale su penetración psicológica, no lo sabe ni él. Tal vez estaba preparado para hacerse adulto, y esa sabiduría ya estaba en él, como un gen dormido. Sea como sea, ella es la perfecta receptora de su atención, y él es el perfecto receptor de su ternura. A diferencia del de Ray Porter, el amor de Jeremy es valiente y sin reservas. A medida que él le ofrece su corazón, ella le ofrece a cambio partes iguales de sí misma. Una noche, más pronto de lo que a ella le habría gustado, lo que lo hace irresistible, hacen el amor por segunda vez en dos años. Pero, esta vez, Jeremy la abraza mucho rato, y conectan de una forma intensa y profunda. En ese momento, Jeremy supera al señor Ray Porter como amante de Mirabelle, porque, aun torpe como es, lo que le ofrece es tierno y sincero. Esa noche, cuando se toma un respiro del inesperado amor al que se ha abandonado, él le ofrece varias opiniones sobre la venta al por mayor de altavoces para frecuencias altas que Mirabelle llama en secreto «la segunda disertación». Cuando se queda dormido, ella desliza el dedo índice dentro de su puño cerrado y se duerme.

Su unión es el perfecto ejemplo de pareja dispareja que acaba en una relación larga. Ella es más lista que él, pero Jeremy está enamorado de sus propias ideas brillantes, y el entusiasmo que muestra por ellas contagia a Mirabelle y la impulsa hacia el mundo del dibujo como una forma de ganar dinero. Ella empieza a tolerar sus estallidos entusiastas: ése es el regalo que le hace. A veces se quedan tumbados en la cama y Mirabelle le cuenta todo el argumento de una novela victoriana, y Jeremy la escucha tan cautivado y absorto que cree que los sucesos de la historia le están ocurriendo, en ese mismo momento, a él.

Mirabelle informa a Ray que, aunque es prudente, podría haber conocido a alguien.

–Le he hablado de mi medicación y no le importa –dice.

Ése es el momento que Ray siempre ha sabido que llegaría, cuando ella sucumbe a la pasión infinita y sin límites de alguien que es su igual. A pesar de lo previsible que era, vive ese momento como una pérdida, y una pérdida curiosa: ¿cómo es posible echar de menos a una mujer con la que has guardado distancias para que cuando saliera de tu vida no la echaras de menos?

Ray también se pregunta por qué ella y no él ha conocido a alguien por casualidad en una lavandería, alguien que se mete por azar en tu vida y la cambia para siempre. Pero apenas tres meses después le ocurre a él, aunque no en una lavandería, ya que hace treinta años que no pisa una, sino en una cena: una mujer de cuarenta y cinco años, divorciada con dos hijos, le conquista el corazón y luego se lo rompe. Esta vez le toca a él experimentar la desesperación de Mirabelle, ver sus paredes y sus colores. Sólo entonces se da cuenta de lo que le ha hecho a Mirabelle, cómo al desear un centímetro cuadrado de su cuerpo en lugar de a toda ella los dos han salido perjudicados, y no puede justificar sus acciones salvo diciendo que, bueno, es la vida.

Jeremy y Mirabelle, que no están viviendo juntos pero casi, cada vez se separan menos tiempo cuando él viaja de Norte a Sur. Mirabelle y Ray siguen telefoneándose una vez o más a la semana, y empiezan a ser capaces de hablar con más detalle de sus vidas sentimentales. Por teléfono, Mirabelle menciona que quiere volar a Vermont un fin de semana de tres días. No le pide dinero –nunca lo hace–, pero él siempre se lo ofrece cuando intuye que tiene apuros. Sin embargo, esta vez no lo hace, y siguen charlando y cuelgan. Él necesita resolver algo.

Mientras permanece en su balcón desde el que se domina el atardecer anaranjado en Los Ángeles, reflexiona sobre su continua preocupación por Mirabelle. Si ella ya no sale con él, si está con otro hombre, ¿no debería ser responsabilidad del nuevo hombre ayudarla en sus apuros? Ray siempre ha pagado, lo veía como un regalo, pero ahora se ha terminado. Sin embargo sigue sintiéndose obligado a ayudarla. ¿Por qué?

Desvía su capacidad de análisis de la lógica de los símbolos y la dirige hacia su subconsciente confuso. Reduce sus preguntas a su forma más escueta y descubre el único elemento en común de sus sentimientos contradictorios. De pronto sabe por qué siente por ella lo que siente, por qué ella sigue conmoviéndolo y por qué, a intervalos irregulares e impredecibles, se pregunta dónde está y qué está haciendo: se ha convertido en su padre, y ella en su hija. Por fin ve que, del mismo modo que él le imponía a ella su voluntad, ella también le imponía a él sus necesidades, y sus dos disposiciones se entrelazaron. Y el resultado fue una educación mutua. Él vivió una relación en la que él era la única parte responsable, y advierte sus fallos; ella encontró a alguien que la guiara hasta el siguiente nivel de su vida. Mirabelle, caminando con paso inseguro, sintiendo ahora el calor de su primer amor maduro recíproco, le ha soltado. Pero él sabe que, como padre, siempre estará allí para ella.

Algunas noches, solo, piensa en ella, y algunas noches, sola, ella piensa en él. Algunas veces esos pensamientos, separados por kilómetros y usos horarios, ocurren en el mismo momento objetivo, y Ray y Mirabelle están conectados sin saberlo. Una noche él pensará en ella mientras mira a otra mujer a los ojos, buscando las dos cualidades que encarnaba Mirabelle para él: la lealtad y la aceptación. Mirabelle, lejos y en los brazos de Jeremy, sabe que lo que perdió ahora lo ha recuperado.

Meses después, cuando ya han limado las asperezas de su ruptura hasta olvidarlas, Mirabelle habla con Ray Porter por teléfono. Le habla de su nueva vida y él nota el nuevo entusiasmo en su voz. Ella le dice:

–Tengo la sensación de que éste es realmente mi sitio. Por primera vez tengo la sensación de encajar.

Quita importancia al lugar que ocupa Jeremy en su corazón porque cree que podría herir a Ray. Menciona que sigue dibujando y vendiendo, y que en *Art News* han publicado una crítica favorable. Recuerdan su idilio y ella dice cuánto la ha ayudado él, y él le dice cuánto lo ha ayudado ella, y a continuación se disculpa por el modo en que lo llevó todo.

–Oh, no... no lo hagas –lo corrige ella–, es el dolor lo que cambia nuestras vidas. –Y sigue una pausa durante la cual ninguno de los dos habla. Luego

Mirabelle añade–: Me llevé los guantes a Vermont y los guardé en mi caja de recuerdos (mi madre me preguntó que de dónde habían salido, pero yo me lo guardé para mí), y allí, en mi habitación, en mi cajón privado, guardo una foto de ti.

Agradecimientos

Si escribir es un acto tan solitario, ¿por qué hay tantas personas a las que dar las gracias? Para empezar, a Leigh Haber, que corrigió con delicadeza el libro sin herir mi ego; a Esther Newberg y Sam Cohn, que fueron los primeros en pronunciar palabras de aliento; y a mis amigos April, Sarah, Victoria, Nora, Eric y Eric, Ellen, Mary y Susan, que estuvieron convencidos de que había sido idea de ellos leer y comentar el libro durante sus primeras fases. ¿Cómo puedo expresarles mi agradecimiento si no es ofreciéndoles un descuento del veinticinco por ciento en compras al por mayor si lo acompañan de un carné de conducir sin caducar?

NARRATIVA CIRCE

LOS OJOS VENDADOS
Siri Hustvedt

LA ORILLA ETERNA
Nina Berberova

LA ISLA DE LAS FREGONAS
Milena Moser

HIGIENE DEL ASESINO
Amélie Nothomb

LA FARMACÉUTICA
Ingrid Noll

FASCINACIÓN
Don DeLillo

LAS DAMAS DE
SAN PETERSBURGO
Nina Berberova

LAS CATILINARIAS
Amélie Nothomb

EL LIBRO DE LA FELICIDAD
Nina Berberova

MI HERMANO STANLEY
Jenny Diski

EL AMOR NUNCA SE ACABA
Ingrid Noll

EL HECHIZO DE LILY DAHL
Siri Hustvedt

NOVELA SIN TÍTULO
Duong Thu Huong

EL HORÓSCOPO
Sibylle Mulot

ATENTADO
Amélie Nothomb

LA SEPARACIÓN
Dan Franck

EN LONTANANZA
Siri Hustvedt

EL BASTÓN DE VIRGINIA
Laurent Sagalovitsch

EL ARCHIVERO
Martha Cooley

SUBMUNDO
Don DeLillo

EN BUSCA DE CRAVAN
Antonia Logue

BODY ART
Don DeLillo

COMIENDO DESNUDOS
Stephen Dobyns